川を上れ 海を渡れ

事件編

新潟日報140年

新潟日報社 編

佐川急便事件　佐川急便の献金疑惑を巡り、報道陣に囲まれる知事の金子清（1992年８月22日、新潟市の新潟ふるさと村）

20万円中元事件　記者団に辞意を表明する塚田十一郎知事（1966年２月12日、知事公舎）

西山町公金不正融資事件　巨額の不正融資発覚を受け開かれた西山町議会の調査特別委員会（1990年10月６日）

大光相互銀行事件　大光相互銀行事件で県警が押収するなどした膨大な証拠書類。段ボール箱に入れられた伝票などはトラック30台分にも及んだ（1979年10月31日）

新潟中央銀行破綻　自力再建を断念し、記者会見で頭を下げる新潟中央銀行の経営陣（1999年10月１日）

柏崎女性長期監禁事件
緊急会見を開き、辞職を表明した小林幸二新潟県警本部長。本部長の任期途中の辞職は県警史上初めてだった（2000年２月26日、県警本部）

女性デザイナー誘拐殺人事件
誘拐された新潟市の女性デザイナーの遺体が発見された射撃場付近で夜明けを待って行われた捜査員たちによる現場検証（1965年１月15日）

弥彦二年参り圧死事故　124人が亡くなった圧死事件の事故現場（1956年１月１日、弥彦村の弥彦神社）

上越新幹線大清水トンネル火災事故
大清水トンネル工事現場で火災が発生。酸素マスクをつけた６人の救助隊員が坑内に入ったのは火災発生から２日後だった（1979年３月22日、群馬県みなかみ町谷川）

新潟日報１４０年

川を上れ　海を渡れ

事件編

はじめに

ささやかな暮らしと幸せを一瞬にして破壊してしまう「凶悪犯罪」や「大惨事」。新聞の存在価値は、そうした理不尽な暴力や権力行使を許さず言論をもって断固として闘い、不条理な出来事の原因はとことん突き止め再発防止に汗を流し続けることにある。

新潟新聞創業140年、戦時統合による新潟日報創刊から75周年にあたる2017（平成29）年の秋、戦後の出来事をまとめ「川を上れ　海を渡れ」と題して発刊した。今回は第2弾「事件編」としてまとめた。収めたのは主要な10編。

前半の5編は、県知事や多選首長ら行政トップの辞職劇と金融機関トップの暴走の末の破綻。トップが主人公として関与した事件の真相に迫ることは至難の作業。捜査陣を大動員して事件立件への包囲網を狭めていく検察・警察。トップシークレットばかりのわずかな情報を丹念にたぐり寄せながら真相に迫ろうと執念を燃やす新聞記者たち。事件にはシナリオなどない。〝事件は生き物〟だからだ。発生から解決まで、時として迷宮入りまでさまざまな変化を遂げ、時には予想外の展開を見せる。だから、事件取材は取材すればするほど怖い。取材の過程では、「日報の不買運動を起こすぞ」「君の顔など二度と見たくない」「日報対新潟県警の戦いだ」と脅されたり、すごまれたりは日常茶飯事だった。それでも、記者たちの気持ちを支えたのは「現場主義」に尽きる。関係者に会うことを含めて現場百遍。足を運び続けることによって「事件に対する臨場感」と「庶民感覚を五感で感じる」ことで、事件記者魂を磨き上げながら強く成長していった。

事件は記者を鍛える。権力側が隠す真相に迫って放つスクープは記者を強くする。その積み重ねが新聞力の足腰を強くする。地道な努力の積み重ねだ。トップが絡む事件ではなおさらだ。

事件の主人公を挟んで繰り広げられる捜査陣と記者たちの攻防は、次第に「歴史的ないきさつ」「時代の陰影」までもが差し込み複雑さを極める。実録ドラマの予期せぬ展開の連続である。

後半の5編は、残虐・非道な監禁事件と誘拐殺人事件、それに未曽有の大惨事である。

小4女児の監禁事件は9年2カ月後に「発見・保護」された。父親は「9年2カ月と15日です。一日とて省かない」と心痛を明かした。事件は一区切りついたかに見えたが、事態は思わぬ方向に向かう。発生時の「初動捜査のずさんなミス」や「保護・発見時の虚偽の発表」が発覚。さらに発見・保護当日には、新潟県警に特別監察に訪れていた警察庁局長が近郊の温泉旅館で食事接待の後にマージャンに興じ、同席していた新潟県警本部長（警察庁出向のキャリア官僚）は、発見の報を受けたにもかかわらず県警本部に戻らなかった失態も明らかになった。上司の意向には逆らえないという特殊な階級社会の実態があからさまになり、本部長辞職に至った。異常な監禁事件の異常な始末記ともなった。

24歳女性の誘拐殺人事件は、1965（昭和40）年の年明けに起きた。前年は新潟国体、直後の新潟地震、国内では東京五輪に沸いていた。いわば宴《うたげ》の後の〝不況ムード〟が漂い始めた世相だった。1週間後、23歳の男が逮捕された。陰惨な事件ほど犯行の動機の解明が重要であり、かつ困難を極める。死刑判決を受けた男は後に獄中で自殺した。犯行の「なぜ」は「女性が殺された」という事実以外、多くが闇に包まれたままとなった。

事件は時代を映す鏡ともいわれる。誘拐殺人に使われた道具立ては「自動車」「電話」。いずれも高度経済成長時代の〝文明の所産〟だ。現代ならインターネットのサイト、SNSの犯罪への悪用だ。

続く3編は未曽有の大惨事。共通していたのは「想定外」という言い訳だ。日本が戦後、独立を果たす前の1949（昭和24）年、GHQ（連合国軍最高司令部）支配下で起きた。突然の機雷爆発による犠牲者は乳幼児から中学生が大半で63人にも上った。機雷の危険性を知らせる警告も、惨事の原因究明もGHQ新潟軍政部が「壁」となって阻まれた。70年以上も前の埋もれた戦争の歴史は今も、その掘り起こしと解明が課題だ。

56年元日の弥彦神社二年参りの大惨事。恒例の餅まきに密集した群衆が殺到して圧死者が多数、124人もが死亡した。凄惨《せいさん》な現場を目の当たりにした記者たちは「偶発的な不幸な事故で終わらせてはいけない」と唇をかみしめた。

82年11月、新潟と東京を2時間足らずで結ぶ上越新幹線が大宮暫定開業となった。時間距離の短縮は、計り知れない恩恵をもたらしたが、一方で大きな犠牲の上に成り立っている。中でも開通3年半前の春、当時世界最長の大清水トンネルで火災事故が発生し16人が亡くなった。犠牲者の多くは県内外の出稼ぎ者だった。トンネルという密閉空間における大火災。「想定外」と言い訳するには「甘すぎる保安・防火態勢」だった。

事件や大惨事に際して、記者たちはどう取材し、記事を書き、早く正確に読者に届けることができるか。「変だ?」と感じ、「なぜだ?」と追究する磨かれた感性を持った記者が、真っ先に現場のまっただ中に飛び込む。それを新潟日報社の全社員をはじめ販売店ＮＩＣのスタッフが最大限に力添えをする。届けられる紙面は、そうした「新潟日報社力」を結集した総力戦の成果だ。

本書に収めたドキュメントが、繰り返してはならない歴史と時代の教訓として、皆さんの心深く刻んでいただければ幸いです。

２０１９年11月

新潟日報社代表取締役社長　小田　敏三

新潟日報１４０年「川を上れ　海を渡れ」事件編　目次

第7章　女性デザイナー誘拐殺人事件

第8章　弥彦二年参り圧死事故

第1章　佐川急便事件

平成のスタートとともに県政トップが交代した1989（平成元）年知事選。当選した金子清に、佐川急便グループが多額のヤミ献金をしていた疑惑が91年に持ち上がった。献金疑惑は中央政界にも及び、全国的に関心を集める。92年には東京地検が本格捜査に乗り出し、金子は在任3年余で辞職。「知事の犯罪」は起訴され、県政史上初めて有罪判決を受ける。一方で知事としての金子は「環日本海時代」を掲げて現在の県の骨格に通じる大型プロジェクトを次々に打ち出し、手腕を評価する声も多かった。金子の挫折、期待を託した県民への「背信」は、その後の県勢低迷のきっかけともいわれている。

佐川急便の献金疑惑を受け、県議会議長（左）に知事の「辞職願」を渡す金子清（1992年９月１日、県議会）

「知事の背信」

「『それでは、お約束のものを…』。雑談が途切れたのを見計らうように渡辺広康は、黒いバッグを応接テーブルに載せ、対面する鶴田寛の前に滑らせた」

1992（平成4）年12月21日、新潟日報は佐川急便事件をドキュメントで振り返る連載「知事の背信」をスタートさせた。冒頭で、東京佐川急便本社で1億円が授受される衝撃的な場面を生々しく再現した。

連載の開始日は、佐川事件で政治資金規正法違反（虚偽記入）に問われた元知事・金子清と、金子選対の統括責任者だった元県出納長・南雲達衛、選対事務局長の同・鶴田寛の3人の初公判当日だった。

89（平成元）年の知事選で東京佐川急便社長の渡辺広康から金子陣営に渡った1億円。それを政治資金収支報告書に正しく記入しなかった疑いで東京地検特捜部が92年8月に関係者の聴取に入り、金子は9月に知事を辞職していた。

佐川の献金は中央政界も揺るがす問題になっており、お盆明けから9月まで知事公舎を報道陣が囲み続けるなど全国的に大きな関心を集めた事件だった。

「金子さんは1億円受け取りを否定したまま、うやむやの状態で県庁を去っていた。事件をこのまま終わらせてはいけないとチームをつくって取材し、注目される初公判に合わせて連載を始めた」。取材班キャップだった小田敏三は語る。

「新潟県知事の犯罪」が起訴され、法廷で裁かれるのは初めてだった。「事件がなぜ、どのように起きたのか。一企業の多額の献金により、県政がゆがめられなかったのか。再発を防止するためにも、しっかり県民に伝えなければならないと考えた」と小田。連載を始めた日、新潟地裁の初公判で、金子らは1億円受領を初めて公に認めた。

知事辞職から3カ月余りの準備期間で始めた連載は、翌93年6月まで続く。冒頭シーンのように1億円が東京佐川急便からどのように渡り、どう処理されたのか事実関係を徹底的に掘り下げた。さらには金子や新潟県政と佐川急便との関係、元首相・田中角栄が引退した後の当時の権力構造、政治風土など、「背信」を生んだ構図や背景も綿密に解き明かし、検証した。

金子ら3人は虚偽記入で共謀したという起訴事実は否認したが、94年10月に有罪判決を受ける。

小田は「検察の捜査にはシナリオ先行を感じさせるような荒っぽいところもあったし、虚偽記入は贈収賄などに比べて形式的な犯罪ではある。ただ知事という最高権力者が一企業からやすやすと多額の献金を受けてしまったのはやはり問題だ」と指摘。その上で、金子の失脚を惜しむ。「金子さんの政策手腕は出色だった。県民にとって本当に不幸な事件だった」

この後、金子県政が掲げた環日本海政策や拠点性向上に向けた大規模プロジェクトなどは、推進力を失っていった。

深まる疑惑

1991（平成3）年8月15日、本紙朝刊に共同通信の配信記事が載った。「佐川急便がヤミ献金？　安倍派や知事選に」。仙台地裁での民事裁判で、東北佐川急便の幹部が中央政界や地方選挙への資金提供を証言したという内容だ。

これが全ての発端だった。

翌16日には「佐川急便献金疑惑　知事選は『新潟』」との続報が出る。献金先は89（平成元）年知事選での「保守系候補」、金子だった。その後、東北佐川を含む佐川グループで集めた3億円が、金子陣営に渡ったとの疑惑に発展していく。

金子本人や選対関係者は「（献金の）事実はない」と全面否定した。しかし、佐川急便グループ総帥の佐川清（旧板倉町出身）、東京佐川急便社長の渡辺広康（旧堀之内町出身）が金子とつながりがあったことは、本紙の知事選検証連載などで以前から指摘されていた。

約1カ月後の91年9月22日、本紙は黒埼町（現新潟市西区）にある県の第三セクター「新潟ふるさと村」が、北陸佐川急便から10億円の無利子融資を受けており、返済期限が10月に迫って県が対応に苦慮していると報じる。その10億円は君健男知事時代の88（昭和63）年、副知事だった金子が佐川清を訪ねて融資を取り付けた経緯があった。両者の関係の原点ともいえる。

金子自身も、後に「10億円融資をお願いしてから知事選挙までに4回ほど佐川氏に会った」と認めている。東京佐川の渡辺にも別途、人を介して「4回ほど」会っていたという。

記事を担当した小田敏三は語る。「東北佐川の一報が出た後、多くの内部資料を入手した。その中に10億円関連の書類があり、返済が問題になっていることが分かった。県政と佐川の問題がリンクしていることを明らかにしていった」

野党会派の県議らは献金疑惑やふるさと村問題を追及し、県議会は直後の9月定例会から〝佐川一色〟の様相を呈していく。

本紙は「3億円献金」の流れなどを報じる一方、佐川と金子、県政との関係も発掘していった。92年2月には、89年知事選後に佐川清が新潟市内の料亭で金子当選の祝宴をしていたと〝親密ぶり〟を裏付ける記事を掲載。佐川急便が黒埼町へのターミナル建設や、過去の知事選などを巡って県政界に食い込んでいったことなどを詳しく伝えた。

92年2月14日には東京地検が、献金などを通じて中央政界への影響力を誇った東京佐川の渡辺らを特別背任容疑で逮捕。永田町とともに、「新潟ルート」への注目も集まった。

この間、金子は県会や記者会見で献金受領を否定し続けた。金子を支持した県議会の自民党議員らは、疑惑報道を続ける本紙への圧力を強めた。

「自民党からは『日報の記者を証人喚問しろ』という話も出た」と小田は語る。喚問は現実にはならなかったが、県政は献金疑惑に大きく揺れ、混迷を深めた。

そうした中で、金子は92年3月2日、県議会2月定例会で次期知事選への再選立候補を表明した。任期を1年3カ月残した段階での早い表明だった。周囲からは「疑惑払拭《ふっしょく》が狙い」とみられた。

しかし、表明は起死回生にはつながらなかった。

金子知事辞職

1992（平成4）年6月、佐川急便の献金疑惑で、東京地検特捜部は「新潟ルート」の捜査網を急速に狭めていく。

8月中旬には地検が近く関係者を事情聴取するとの情報が広まり、マスコミ各社が一斉に動きだした。

新潟市の知事公舎や金子選対幹部の事務所、自民党県連、新潟地検などには、早朝から深夜まで新聞、テレビの記者が張り込んだ。

緊張状態は金子が県庁を去るまで1カ月近く続く。当時、報道部デスクだった望月迪洋は「とにかく大変だったという記憶が強い。張り込み人数が足りなくて、入社1、2年目の記者も総動員した」と振り返る。

特に知事公舎には取材が集中。大勢の記者とカメラマンが四六時中囲み、現場からの生中継などもあって世間の耳目を集めた。

入社4年目で事件担当だった斎藤祐介は「政治関係者の顔を知らなかったので、顔写真を何枚も持って張り込んだ。公舎を出る車はオートバイで追いかけた」

現在のようにメディアスクラム（集団的過熱取材）が問題視されていない時代。中には路上で出前を取る会社もあり、食べ終わった丼などが公舎前に重なっていたという。

緊張が高まる中、東京地検特捜部は8月27日、いずれも金子選対幹部で元県出納長の南雲達衛、鶴田寛らの一斉聴取を始めた。

疑惑の対象は89（平成元）年知事選で佐川急便が提供したとされる3億円のうち、鶴田らが告示直前の5月10日に受け取った1億円。容疑はそれを政治資金収支報告書に記載しなかった政治資金規正法違反（虚偽記入）だ。金子側は受け取り自体を否認し続けていたが、検察は金子と南雲、鶴田らが共謀したとみていた。

南雲、鶴田の事情聴取を通して、検察は①狙いは金子②否認を続けると県庁や公舎への強制捜査（捜索）もある③知事を辞職すれば強制捜査は免れる―との意図を金子サイドに伝える。金子に選択肢は残されてはいなかった。

「ウ～ン、やむを得ないのかなあ。…それで、

知事公舎前に張り込む報道陣。こうした状態が８月中旬から１カ月近く続いた（1992年9月5日）

やってください」。金子は言葉を絞り出すと、ふーっとため息をついた。うっすらと涙ぐんでいるように見えた――。8月30日午後、金子が辞職を決断した瞬間を、本紙は後の連載「知事の背信」でこう再現した。

東京地検捜査官7人が強制捜査の配置につこうとしていたことが金子の弁護士らに伝えられていた。金子は報道陣を振り切って長岡市に向かい、長岡駅に近い長岡グランドホテルで鶴田や弁護士と極秘に面談。1時間近く逡巡《しゅんじゅん》した後、結論を出した。

「金子知事辞職」は翌31日夕方、本紙の号外で明らかになった。その直前、県政担当キャップだった小田敏三が電話で金子本人に号外発行を伝え、「残念です」と語りかけた。金子は黙って聞くだけだった。

金子は9月1日、県議会議長に辞職願を提出。その後に記者会見し、「県民に心配をかけ、県政に不信の念を抱かせたことは不徳の致すところ。政治的、道義的全責任を取り辞職することが、今後の県政発展のためにも最善の道と考えた」と述べた。1億円の受け取りについては、なお明言を避けた。

疑惑の検証へ

金子清の知事辞職表明を受けて、県議会は1992（平成4）年9月9日に辞職を認めた。在任3年3カ月。当時では歴代で最も短命だった。

8月から知事公舎などの張り込みを続けてきた斎藤祐介はこの日、県庁を去る金子をオートバイで追いかけた。

信号で金子の車の脇に止まったときだった。金子が突然、窓を開けて斎藤に一言、声をかけた。半月以上追いかけてきて、初めてのことだった。斎藤は驚いたがヘルメット越しで聞き取れず、金子の言葉はエンジン音にかき消された。

「笑顔だったし、たぶん『君たちも大変だねえ』『お疲れさま』といったねぎらいの言葉だったと思う」と斎藤。どこか吹っ切れたように見えたという。

ただ金子は公務最後のこの日も、県民へのおわびや県政発展への願いを記者らに伝えたが、献金疑惑自体については「捜査中なので」とするにとどめた。

本紙は9人のチームで疑惑の検証取材を始める。メンバーが共有したのは「県政の主人公である県民への説明がないまま、終わらせるわけにはいかない」との問題意識だった。

黒埼町（現新潟市西区）にあった新潟日報本社に取材班専用の個室、通称「佐川部屋」が設けられた。招集されたのは、県政キャップだった小田敏三を班長に、上越支社から小町孝夫、東京支社から阿達秀昭、長岡支社から夏井陽三、本社フリーから山崎晃と佐藤明、司法担当から斎藤祐介、写真部から八鳥富士夫、さらにデスクの望月迪洋を加えて9人。斎藤によると、大量のメモや資料を持ち寄り、情報共有しながら進める現在のグループ取材スタイルの先駆けだった。ワー

記憶とメモ

佐藤明（新潟日報社常務取締役）

やせぎすの体に似合わぬ太くて低く、それでいて、しゃがれた声。「いや、紙袋ではなくて黒いバッグでした」「バッグをテーブルの上に載せて滑らすようにしてよこしたんですよ」

佐川急便ヤミ献金事件で、当時の東京佐川急便社長・渡辺広康から副知事・金子清宛ての1億円を受け取り、新潟市に運んだ元県出納長・鶴田寛さんを初めて取材したときの証言だ。

いわゆる「佐川班」（班長は当時の小田敏三・県政キャップ）で鶴田さんを担当し、1992（平成4）年秋から半年で十数回話を聴いた。いつも三越に近い喫茶店で会った。何も話してくれないのではと案じていたが、自ら運んだ「1億円」のことは淡々と語ってくれた。検察の調べでは「紙袋の1億円」とされたが、実は「黒いバッグ」だったことも含めて細部まで聴いた。

毎回、60分から90分くらい。メモ帳は出せない。頭に刻み、別れた後は一目散に西堀にあった編集の出先事務所に戻って一言一言思い出してメモをつくる。その頃の最新式超小型レコーダーをポケットに忍ばせたものの、鶴田さん特有の低い声は拾えない。ほとんど記憶だけが頼り。佐川班のみんなが同じようにして膨大なメモをつくり、読み込み、また取材した。

だが、それでも1億円とは別に東京佐川から県政界に来たはずの「2億円」の受け取り主は解明できなかった。元出納長も「2億円は知りませんから」と、さらに声を低くした。

鶴田さんとは2008年に81歳で亡くなられるまでお付き合いさせていただいた。自らの責任も感じてか、「やはり県政のチェックは必要ですね」とつぶやくこともあった。今も記憶に残る声と、佐川班のみんなでつくった段ボール箱いっぱいのメモを大事にしている。

プロによるメモ、マイクロカセットでの録音など、電子機器の発達により情報の共有が容易になり始めた時期でもあった。

検察は9月28日に金子らを起訴。初公判が12月21日に設定された。本紙チームは連載「知事の背信」を初公判当日の朝刊でスタート。公判と並行して事件の経緯や背景に迫った。

94年10月25日、新潟地裁は金子に禁錮1年、執行猶予3年の有罪判決を下す。選対幹部の南雲達衛、鶴田寛にもそれぞれ禁錮10月、禁錮8月(いずれも執行猶予3年)を言い渡した。

知事経験者が有罪判決を受けるのは県政史上初めて。政治資金規正法違反で禁錮以上の自由を束縛する刑が下されたケースは全国初だった。政治家本人の責任追及が難しい「ざる法」ともいわれていた同法を、厳しく適用したという意味でも重い判決だった。

金子側は1億円の受領は認めたものの、虚偽記入についての3人の共謀などを否定してきたが、判決はヤミ献金そのものが事件の本質ととらえた。ほぼ検察の狙い通りだった。

金子には「到底、承服できない」という強い思いがあったが、高齢の南雲、鶴田への配慮や弁護士らのアドバイスもあり、11月に控訴を断念。判決が確定する。

一方、佐川急便事件には「新潟ルート」以外に、自民党の最高実力者で党副総裁の金丸信への献金疑惑もあった。金丸は金子が知事を辞職する直前の92年8月27日、5億円の献金を自ら認めて副総裁を辞任。検察の聴取には応じず、政治資金規正法の量的規制違反を認める上申書を出して20万円の罰金刑を選んだ。

金丸のケースは1億円献金で起訴された金子と対比して論じられ、大物政治家の〝特別扱い〟に非難の声が上がり、国民の政治不信を招いた。また検察が事件の幕を引くために、金子らがスケープゴートになったとの見方もあった。

2億円の行方

「平成4年8月中旬から、マスコミは一斉に私が佐川急便から資金提供を受けたことなどを大々的に報じ始めた。検察の意図的なリークとしか思えない」

佐川急便事件で知事を辞め、有罪判決を受けた金子清は、判決から3カ月余り後の1995（平成7）年2月、「冤罪《えんざい》はまたおこる―検察官調書の恐ろしさ」を自費出版。その中で罪状の虚偽記入に共謀した事実はないと主張し、検察の捜査手法を批判した。

金子は知事辞職を表明した4日後の92年9月5日から25日まで、断続的に検察の聴取に計9日間応じた。

金子の著書によると、この聴取で検察が作った調書には金子の供述と異なる文言が二十数カ所あったが、署名を強いられた。「協力してくれなければ検察としても考えがある、と強制捜査をにおわせて脅かした」という。

公判で検察は金子が佐川急便側に1億円の用立てを求めたと論証したが、金子はずっと「私から献金を無心したことはない」と言い続けており、こうした点も事実と異なると指摘した。

判決から四半世紀が過ぎた今、金子は事件をどう受け止めているのか。判決後に新潟を去り、横浜市で暮らす本人を訪ねた。

「知事として事件を起こして辞めなければならなかったことについて、第一に県民に対して申し訳ないと思っています」。金子はまずこう語り、「佐川（清）さんから知事選に出たらどうかという話もあったし、『資金も出すよ』という話もあったが、ああいう形で問題になるとは思わなかった」と話した。

「そもそも（虚偽記入したとされた）政治資金報告書を私は見ていない。それは検察にも言った。だけど、通らなかった」と金子。「政治資金規正法上の出納責任者は私じゃないし。ただ南雲（達衛）さんとかにも迷惑をかけていたから…甘んじて受けた」と無念そうに語った。

ただ、今なお金子が口を閉ざしていることがある。

事件の経過を聞いていくと、金子は「（佐川との）間に入った国会議員が、いろいろ問題があったから、そのとばっちりを受けた面があるんだけどね…。まあ、今は言えないけどね」と漏らした。検察の聴取でも「だいぶその国会議員との関係を聞かれたけど、『知らない』と一切言わなかった」という。

89年知事選で、佐川急便グループから金子側に渡ったとされたのは3億円。そのうち立件された1億円は金子らも受領を認め、カネの流れが解明されている。しかし、残りの2億円はどこへ行ったのか謎のままだ。

金子らが起訴された9月28日から約2カ月後、11月30日に法務省が国会で事件の中間報告をした。「金子前知事陣営等に対して、3億円の選挙運動資金を提供していた事実を把握した」と認定したが、2億円については「訴追に足る事実は確認できなかった」と結論づけた。

「陣営等」は何を指すのか。2億円の行方について金子は「うわさは聞いているけど…知らない。見たことも聞いたこともない」とする。当時、2億円に絡んで名前が上がった元国会議員の一人は関与を否定し、「何も言うことはない」としている。

知事選と佐川マネー

知事を辞職に追い込んだ佐川マネー。なぜ県政に流入することになったのか。

1960年代以降の県政には、強力な政治力を誇った元首相田中角栄と、74（昭和49）年に知事になり史上初の4選を果たした君健男が君臨した。しかし、田中は85年2月に脳梗塞に倒れた。次いで権勢を振るった君も、4期目途中の89（平成元）年4月20日にがんで死去した。

「田中、君という二つの大きな重しがなくなり、県政が権力の真空地帯になった」と、かつて田中の番記者を務めた小田敏三は指摘する。

「ポスト君」を決める89年知事選は5月15日告示、6月4日投票となった。元自治官僚で83年から副知事を務めていた金子はトップを目指す。

金子は最近の取材に対し、「副知事時代に、君知事には『あとはおまえがやれ』と内々に言われた。正確に覚えていないが、亡くなる1年ぐらい前だったと思う」と明かす。

ただ君は後継を明確に指名しないまま亡くなり、自民党系で現職衆院議員、現職県議、元県教育長の3人も名乗りを上げた。

知事選を挟んで自民党県連会長を交代する渡辺秀央、近藤元次の2衆院議員をはじめ自民党国会議員らの思惑や覇権争いも絡み、候補者調整は複雑化。最後は「君後継」とみられた金子に収斂《しゅうれん》していくが、そこに佐川急便グループも関与していた。

知事に当選し、自民党国会議員らに囲まれて手を振る金子清（1989年６月４日）

92年12月～93年6月の本紙連載「知事の背信」は、金子と佐川の関係を詳しく報じている。

金子が副知事時代の88年3月、新潟ふるさと村への10億円融資の依頼でグループ総帥の佐川清に初めて会ったときから、佐川は既に「知事に出ないか」と声をかけていた。その後、君の体調が悪化。89年、平成のスタートとともに「ポスト君」の動きが本格化し、2月には佐川が金子に具体的に持ちかけた。「あんたも出るんなら3億円ぐらいは要るだろう」

金子さん　解答いまだ示さず

大塚清一郎（編集局次長）

見出しは「解答は与えてもらえるのか」。1994（平成6）年3月10日の本紙夕刊、コラム「記者つれづれ」で、佐川急便事件の裁判について取り上げた。

「公判を見続けて感じることは、検察と弁護側が真っ向から争う展開の中、事件の真相は何か。そして金子被告に対し、何かまだ言いたいことがあるのでは、という思いだ。判決までにこの思いに解答を与えてもらえるのか、これからも注視していく」などと記した。

89年4月に入社した直後に保革の激戦を制し知事に就任したのが副知事だった金子さんだ。若く、穏やかな人柄の政策通と好印象を抱いた。

それから3年余り後、柏崎支局から本社報道部司法担当に戻る身を待ち受けていたのが佐川事件だった。

92年9月7日深夜、知事公舎前で張り番をしているとき、金子さんの弁護士2人が突然タクシーで乗り付け、報道陣は大混乱に。その間に金子さんはわきの通用口から公舎へと入った。氏の居場所を質す記者たちに弁護士は「木戸から入りましたよ。皆さんよく見ていなかったの」と笑い飛ばした。陽動作戦にまんまとしてやられた苦い思い出が残る。

93年9月から約半年、事件の公判を担当した。その時書いたのが冒頭のコラムだ。人づてに金子さんが「ずいぶん厳しいことを書くね」と言っていたと聞いた。

自分を含め、本紙の記者が追い掛けた事件の最大の謎は、佐川側から金子陣営等に渡ったヤミ献金3億円のうち、明らかになっていない2億円の行方だ。金子さんは公判後もこれについては語っていない。その意味では金子さんからいまだに解答は与えてもらっていない。

金子は4月30日に自民候補に決定。金子が佐川にあいさつに行くと、佐川はグループとして中央政界を通じて金子への「候補一本化」を働きかけたと伝えたという。告示が迫る5月10日、東京佐川急便本社で後に問題となる1億円が金子側に渡された。

6月4日の知事選。金子は65万票余を獲得、社会党系候補の志苫裕を約4万6千票差で振り切り、初当選した。

ただ金子は歴代知事の系譜から外れた存在だった。

君まで5代の民選知事はいずれも国会議員や県議を経験しており、「知事は政治家がなる」という風土があった。しかも金子は群馬県出身で新潟県にいたのは副知事の5年間。いわゆる土着の権力がないため、知事になれたのを「奇跡的」とみる県庁OBもいた。

連載「知事の背信」では、「『借り物権力』だったために資金源を探さなければならない。それが佐川だったかもしれない」と周囲の見方をつづる。

一方、当時の県幹部は「政策こそが全てだった」と語る。政策と結果によって求心力を高めたいとの金子の意気込みを感じたという。金子は大胆かつ前のめりに県政を動かしていく。

対岸交流を構想

「やれば全国の自治体で新潟が一番になれるか」。1989(平成元)年6月、知事就任直後の金子清は韓国通の元県議から韓国への県事務所開設を打診され、二つ返事で乗り気になったという（本紙連載「知事の背信」）。

金子は就任後の所信表明で「国の内外に交流の輪を広げていくことが本県の課題だ」と強調。対岸諸国などと交流する「環日本海政策」を推し進めていく。

当時を振り返り、金子は語る。「新潟は日本海側有数の県といわれながら、各県をリードできる地位になっていない。宮城県、仙台市は東北を後背地に発展した。新潟の後背地は日本海側の各地であり、対岸のロシア、中国、韓国。交流を推進して県を発展させたいと環日本海時代を掲げた」

構想は「副知事時代から考えていた」と金子。前任知事の君は「県内優先。外国との交流はジェトロ（日本貿易振興機構）を使えばいい」とにべもなかったため、大転換を図る。

金子は経済界に協力を求めて90年10月に県ソウル事務所を開設。国内都市との地域間競争をにらみ、就任2年となった91年6月に「にいがた21戦略プロジェクト」を打ち出す。県庁内外から500以上のアイデアを募る斬新なやり方で、1年がかりで練り上げた計画だった。

プロジェクトに盛り込んだのは、新潟空港滑走路の3千㍍化と上越新幹線乗り入れ、ロシアや中国での海外事務所設置、国際交流センターと環日本海シンクタンクの整備、サッカーワールドカップ誘致、長岡総合プールや上越多目的運動施設の整備―など。全体の事業規模は2兆～3兆円、県負担は1兆円を見込んだ。

金子が知事を辞めたときの秘書課長で後に副知事を務めた関根洋祐は「相当に挑戦的な計画。

県政が変わったという印象を受けた。金子さんは外部のアドバイザーも多く、いろんな発想をもっていた」と話す。

プロジェクトを金子は「10年ぐらいで実現しようと思っていた」と述懐する。関根は、金子県政について「県発展の方向付けをした。いまに続く県の大きな骨格の先駆け、基礎をつくったといえるのではないか」とみる。

プロジェクトには実現した事業もあるが、今なお道筋さえついていない計画もある。わずか3年3カ月で知事を辞職した金子だが、その手腕を評価し、「もったいなかった」と惜しむ声は政界、経済界に今も根強くある。

本紙「知事の背信」デスクで、現在は県内政治経済の研究所を主宰する望月迪洋は指摘する。「戦後の県政の流れをみると、金子県政が途中で絶たれたことが今の県勢停滞の原因になったといえる。金子氏の蹉跌《さてつ》が凋落《ちょうらく》の始まりだった」

失われた四半世紀

「にいがた21戦略プロジェクト」などで金子県政が打ち出した政策は、現在に至る県の事業や指針に影響したものが少なくない。

県政の裏表を取材してきた本社元編集委員室長の望月迪洋は「金子の計画の多くは、佐野藤三郎らとの合作と思っていい。佐野は壮大な構想、夢を金子県政で実現したいと思っていた」と話す。佐野は亀田郷土地改良区の理事長を長く務め、県内外の農地整備はもちろん、中国の農地開発、技術協力などにも尽力した。当時の大蔵省や農水省をはじめ霞が関や永田町に幅広いネットワークを持っていた。

望月によると、佐野は「新潟を世界の貿易センターに」と考えていた。中国などと航路を結び、コメを中心とした穀物情報センター、穀物コンビナートを整備。新幹線と空港のドッキング、大型貨物航空機を受け入れるための空港3千メートル化なども進める考えだった。これらは金子の戦略プロジェクトに反映される。

正式に知事を辞職して県庁を去る金子清。花束を受け取り深々と頭を下げた（1992年９月９日、県庁正面玄関）

金子県政の協力者には本県選出衆院議員で自民党県連会長だった近藤元次もいた。近藤は1990（平成2）年に農相、91年に官房副長官に就き、中央政界で着実に力をつけていた。「金子は佐野、近藤らと組むことでプロジェクトを絵空事とせず、現実にできるという感覚を持っていた」と望月。しかし金子は92年に辞職、94年には近藤、佐野が相次いで他界する。けん引役を失った金子県政の計画は失速し、バブル崩壊後の景気悪化もあって県勢は低迷していく。

金子の後、92年10月に元日銀新潟支店長の平山征夫が知事に就任、3期12年務めた。2004～16年は元経済産業官僚の泉田裕彦が3期在任した。

望月は「平山時代は、君県政と同様にリスクを避ける役人的な県政だった」と指摘。「君の時代までは田中角栄が高速道路、新幹線といった大計画をいや応なしに持ってきたから、受け身でも成長を担保できた。その後の厳しい時代は役人県政では難しい」と語る。

県の元幹部は「平山さんは金子さんが残したものを完成させるというテーマがあり、朱鷺メッセなどの整備も進めた」とした上で、泉田県政で「県が積み上げてきたものがなくなった」という。

泉田は歴代県政が作った総合計画をなくし、自身の公約に基づくプランを最上位計画に据えた。「計画は名前の問題ではなく、策定するプロセスが大事。民間を含む県の総合力を上げるために行政組織をフル回転させ、過去を検証して他県と比較し、国、市町村の動向をみながら作る。そういう取り組みを否定した」と元県幹部。望月は「泉田時代に人事体系なども壊された。県を動かす大きな筋目を失った」とみる。

1989年に始まった金子県政の挫折をターニングポイントに、平成時代の県政は足踏みや混迷が続いた。日本海側の雄といわれた本県にとって「失われた四半世紀」とも呼ばれる。

知事在任中に本県の発展を思い描いた金子に、現状をどうみるか聞いた。

「やっぱり、ちょっと停滞しているな…という感じはするけど。いろんな要因があるだろうから、私としては（後の知事を）評価しないようにしている」と言葉を選びながら続けた。

「ただ県でも、どの組織でもトップの意識、リーダーシップが非常に重要。トップがどういう意識で、これからの新潟を引っ張っていくかだと思う」

泉田の後、医師で弁護士の米山隆一が２０１６年に知事となったが、女性スキャンダルにより1年半で辞職。県政の針路は18年6月に知事に就いた元国土交通官僚の花角英世に託された。

花角は、過去の放漫運営が招いたとも言える県財政の危機的状況に直面、19（令和元）年8月に知事給与20％削減を決め、財政再建へ不退転の決意をにじませた。急激な人口減少などで県勢の衰退が顕在化する中、「新潟県の復権」へ向け、知事の強いリーダーシップが求められている。

第2章　20万円中元事件

知事室、知事公舎に強制捜査が入った。現職の県議4人が県会会期中に逮捕された―。大臣経験もある大物知事・塚田十一郎が、自らの知事選を前に自民党県議ほぼ全員に手渡した現金20万円のお中元。当時の知事の1カ月分の給与を上回る額の大きさと、それまでにはなかったプレゼントは疑惑を呼んだ。これは買収に当たるのではないか。新潟地検は総力を挙げ、政治とカネの黒い関係、県政界の闇に切り込んだ。しかし結果は…。背景には党内のすさまじい派閥抗争があった。半世紀前の事件をひもとく。

塚田事務所を家宅捜索する新潟地検の捜査員。まだ「必勝」が掲示され選挙の余韻が残る（1965年12月17日、新潟市）

県議の暴露

1965（昭和40）年10月20日午後3時すぎ、新潟県庁内の県政記者室に、自民党の県議、飯塚宗久がひょいと現れ、こう言った。

「ちょっとみなさんに発表したいことがある」

この異例の〝発表〟が、県民にかつてない大きな衝撃を与えた「20万円中元事件」の始まりだった。20日は県知事選挙の告示日。2期目を目指す自民党の現職、塚田十一郎と、前副知事で自治省（現総務省）官僚だった無所属の吉浦浄真、共産党の浦沢与三郎の3人が立候補し、選挙戦の火ぶたを切った、まさにその日だった。

塚田は初の県総合計画を策定し、国体を成功させ、新潟地震の復興に尽くし盤石の立場。対する吉浦は4カ月前まで副知事として仕えた能吏。社会党が担ぎ出したとはいえ、本県経済界や市町村長の知己も多い保守の人。事実上の一騎打ちは激戦必至、全国注視の一大決戦となっていた。

記者たちは朝から立候補の届け出を確認し、各候補の第一声を取材した。そんな慌ただしさが一段落し、ほっと一息ついた午後のひとときだった。

五十嵐幸雄（元新潟日報社社長）は県政記者室にいた。4年間勤務した東京支社から2カ月前に本社に戻り、県政記者クラブに配属されたばかり。県選出国会議員はよく知っているが、県議にはなじみがなかった。

飯塚の申し出に「何の話だろうと最初はきょとんとした」というが、「話を聞くうちにこれは大変なことだと思った」と五十嵐は振り返る。

飯塚の発表は、塚田の〝知られざる行動〟の暴露だった。

「中元として8月下旬、塚田知事から多額の現金が贈られたが、知事選のときでもあり、塚田知事後援会の一誠会にとかくの批判もあるところから、お互いの疑惑を招かないため返すことにした」

そう言って飯塚は、自身を含めた自民党県議9人分、1人20万円、計180万円の現金を、同僚県議とともに知事公舎に行き、返却してきたと説明した。

当時の知事の1カ月分の報酬は18万円。20万円はそれを上回る。今でいえば140万円ぐらいか。確かに中元という儀礼にしては多過ぎる。

事実関係は本当か。いったい何のためなのか。

県政担当キャップの石塚英一は裏付け取材のため記者室を飛び出した。「(キャップの)ヅカさんもどう扱ったらいいか、戸惑っていた」と五十嵐。

翌21日の本紙朝刊3面。塚田、吉浦、浦沢の「立候補のことば」という選挙の定番記事が大きく紙面の3分2を占めたその下に、1段見出しの「ベタ記事」が載った。

見出しは「知事からの現金中元を返す　自民党県議9人」。石塚による記事は22行、300字程度で、飯塚の発表をほぼそのままなぞった形だ。

確かに発表の中身は衝撃的だが、知事選告示当日、現職塚田のイメージダウンの狙いが見え見えだった。記事の扱いに苦慮した様子がうかがえる。

「一報はあまりに扱いが小さかった」。今も五十嵐はそう悔やむ。

翌22日朝刊3面の社説では「中元二十万円はいかなる金か」と題し、「県民にさまざまな疑惑がもたれるのは当然であろう」とし「知事と自民党県議は金の性格を明らかにすべきであろう」と当事者による説明責任を指摘した。

同じ面の「県政ノート」という政界こぼれ話記事では、返却県議に名を連ねた議長渡辺常世の言葉を紹介、「コッソリ返すのが礼儀…」との見出しで少しちゃかしたように報じた。

本紙を含め、各紙の「中元20万円返却」を巡る報道は選挙期間中、ほとんど目立たなかった。

そもそもなぜ自民県議が、党公認の現職塚田をおとしめる発表をしに来たのか。今ではなかなか理解できない出来事だ。

代理戦争

「これは塚田と田中彰治の争いだとピンときた」

知事塚田から現金20万円の中元が贈られたと明らかにした県議飯塚の暴露を県庁内の県政記者室で聞いた五十嵐は当時の心境を語る。

東京支社時代、県選出国会議員を取材していた五十嵐は旧新潟4区（現6区）選出の自民党衆院議員田中彰治から何度も「約束を破った塚田は許せない」と激しい塚田批判を耳にしていた。

2人はどんな人物なのか。塚田は上越市の出身。東京商大（現一橋大）で学び、大手建設会社を経て、1946（昭和21）年、戦後第1回総選挙で初当選した。衆院8期連続当選し、郵政大臣や自民党政調会長を歴任、党内で緒方竹虎派、石井光次郎派の参謀を務めた大物政治家だ。石井が総裁選で敗れたのを機に知事に転身。本県自民党では田中角栄と近い主流派で、計数や法律に明るく、手堅い実務家で知られた。

田中彰治は新井市（現妙高市）出身。13歳で上京し、福岡県で炭鉱や農場を経営し財産を築いたとされる。49年総選挙で初当選したが、金権選挙で多数の逮捕者（買収）を出した。自民党所属で当選7回。国会では自民党幹部の疑惑をも追及する〝爆弾男〟。本県自民党では反主流派だ。とはいえ豪放磊落《らいらく》で大衆の人気は少なくなかった。

同じ旧4区の自民党代議士として選挙のたびに相争ってきた。選挙区内の首長や県議、市町村議まで系列に分かれ、上越地方で激しい政争を繰り広げていた。

犬猿の仲の2人だが、塚田が衆院議員から転身を図った61年知事選で、「県政は塚田、国政・4区は田中彰治に任せる」という条件で〝和解〟。田中彰治も塚田の知事選を応援した。

しかし63年の衆院選に塚田の息子の徹が旧4区から出馬したことで再び抗争が激化した。激怒した田中彰治は徹を落とそうと、塚田派幹部だった大竹太郎を担ぎ出し旧4区から自民党で出馬させ、自身とともに当選させる荒技を仕掛けた。

こうした経緯をよく知る五十嵐は「中選挙区の同じ党内での派閥争い。これが中元事件で極端に表れた」と振り返る。

この65年知事選の吉浦担ぎ出しにも、田中彰治が大きな役割を果たした。

社会党から出馬を打診されたものの悩む吉浦の背中を押したのは、本来なら塚田を推さなければならないはずの自民党県連会長、田中彰治だった。

旧1区選出の高橋清一郎や大竹といった自民党反主流衆院議員とともに田中彰治は8月5日、「カネはおれが責任を持つ」と吉浦に出馬を迫った。自民反主流派の支援に意を強くした吉浦は受諾し11日、立候補を表明した。ここに塚田対吉浦の対決、いわば塚田対田中彰治の「代理戦争」の構図が定まった。

吉浦の背後にいる田中彰治の意気込みを反映し、告示前の前哨戦から選挙戦は熾烈《しれつ》を極めた。田中彰治の指揮の下、県内各地に塚田を中傷する文書がばらまかれた。自民党・塚田陣営も反撃の文書をまき、対抗した。

社会党も9月県会中から知事塚田周辺の土地売買などを巡る疑惑について告訴、告発を繰り返した。塚田・自民党側も逆に虚偽告訴罪などで応酬し、知事選期間中には双方合わせて11件にも達した。

告示後の10月29日本紙朝刊は「知事選の泥じあいを戒める」と題した社説を掲載したほどだ。

こうした暴露合戦の選挙戦が、期間中の中元事件報道を目立たなくした面もあった。

11月14日、投開票の結果は、塚田64万８８０４票、吉浦41万３２９６票、浦沢与三郎３万４３０３票。接戦の予想を覆し、塚田が大差で再選を果たした。「現職の強み」「内紛でむしろ結束固まる」と本紙は勝因を分析した。

しかし15日夕刊は知事の「異変」を伝えた。当選から一夜明け、喜びの声を聞くはずの記者会見は延期された。塚田は「精神的、肉体的疲れがどっと出て、５分間の写真撮影がやっとの状態」だった。

当選から一夜明けた塚田知事。喜びの会見は体調不良で中止され写真撮影だけ。笑顔も少しこわばったようだ（1965年11月15日、新潟市の旅館）

「軽いノイローゼ」の塚田は県外へ転地療養に旅立った。田中彰治との〝暗闘〟に心底疲れたのか。それとも迫り来る地検の捜査からの「逃避行」なのか。当選後、塚田は登庁することなく、伊豆の温泉へ。知事不在―の異常事態がしばらく続いた。

頂上作戦

知事選投開票日から約１カ月後の１９６５（昭和40）年12月15日、県庁内の知事室と知事公舎に、新潟地検が家宅捜索に入った。

容疑は知事塚田の公職選挙法違反（買収）の疑いだ。

検事らは午前9時に令状を示し、捜索を始めた。記者たちは県庁1階の記者室から一斉に3階の知事室に駆け上がったが、既に知事室の扉は閉ざされ、中の様子は取材できなかった。知事室と公舎が強制捜査を受けたのは県政史上初めての一大不祥事だ。県議の飯塚が記者に中元を暴露して約2カ月、地検は本丸の知事の「城」に攻め入る「頂上作戦」に踏み切った。

地検は、飯塚の爆弾発表が報じられた10月21日以降、社会党の告発とは関係なく内偵を開始。特に投開票日の11月14日以降には、急ピッチで捜査を進め、47人の自民県議のほとんどに任意で事情を聴いていた。

張本人の塚田も呼び出した。28日に県外から一時的に新潟市に戻った塚田を次席検事の丸物《まるもの》彰《あきら》が直々に3時間、入院先の新潟大付属病院で事情聴取した。12月7日には再度、塚田を任意で取り調べた。

それまでの調べで、吉浦に社会党が出馬を打診した7月上旬の動きを、塚田は7月中旬に察知し、7月下旬から自民県議に中元20万円を配り始め、8月下旬までに配り終えたことが分かった。地検は、塚田が配った20万円の現金中元には、選挙での自分への支持を求める買収の意図があったと見立てた。

しかし、12月15日段階ではまだ、知事、県議らから「選挙目当ての金」との供述は得られていなかった。

そうした中での強制捜査だ。立件できなかったら「やり過ぎ」との批判も受けかねない。知事室、公舎への家宅捜索は、立件へ向けた地検の並々ならぬ決意の表れだった。

捜索を受け、開会中の12月県議会は荒れた。緊急本会議で、社会党などは厳しく責任を追及、知事退陣を要求した。しかし当の塚田は再び県外に行き不在、知事職務代理を務める副知事野々山重治ら県側は「遺憾」との言葉を繰り返すだけだった。

攻勢を強める社会党に対し、防戦一方の自民党。そんな12月県会をなんとか乗り切るかに見えた最終日の22日、家宅捜索をはるかに超える衝撃が、県議会、県民に走った。

地検が自民党の県議4人を公選法違反（被買収）の疑いで逮捕したのだ。県連幹事長の相場一清、県連総務会長の鈴木精一、県会副議長の旗野進一と若手の吉川芳男という面々だ。

一度に4人、しかも塚田の知事選の采配を振るった県連のナンバー2と、党三役の総務会長、副議長といった県政界の重要人物。時期も県会開会中とあっては、これまた地検の「頂上作戦」と言っていい。

当時、地検の取材に当たった司法担当キャップの今野鋼治はそのときの「してやられた」様子を翌23日朝刊社会面に書いた。

県会最終日、何かあるのではと、地検に集まってきた事件記者らを珍しく次席検事の丸物が自室に招き入れ、紅茶を振る舞い、面白おかしく雑談に花を咲かせる大サービスでもてなした。1

寒さに震え、してやられ

今野鋼治（元新潟日報記者）

県の政治にドロドロの泥を塗ってしまったのが1965（昭和40）年の「20万円中元事件」であった。なにしろ塚田十一郎知事が、子供にこづかいでもあげるように現金20万円を四十数人の自民党県議一人一人にプレゼントしたのである。

「ほんの気持ちです」などといわれて封筒を差し出されては、悪い気はしない。知事の月給が18万円のころである。もらった県議のうち9人は知事に返した。その中の一つに現金ではなく、新聞紙の切り抜きを封筒に入れたのがあった。コメディーである。

その年11月の知事選挙では塚田が圧勝した。にもかかわらず、新潟市内の旅館に逃避した。新潟地検が、20万円のお中元にひそかに食指を動かしていたのである。

指揮を執る次席検事は丸物彰といった。名は体を表す、を地で行くような人で顔も体も丸まっこい。朝起きるとまずキャベツや玉ねぎを生のままバリバリッとかじる。それがこの人のエネルギー源だった。丸まっこくてニコニコしている、とあれば誠にとりつきやすいのだが、事件については一切しゃべらない。

古い木造の地検は寒かった。ズボン下を2枚重ねてはいて地検の廊下に立ちんぼしていた。

クリスマスが近づいたある日、次席検事から「懇談しよう」と言ってきた。どっと入った記者団に紅茶など振る舞ってくれた。そして1時間、2時間、「おかしいぞ」と思った時はもう遅かった。他の検事らはもぬけの殻で、自民党県議幹部宅の捜索に入っていたのだった。

事件は結局不起訴に終わった。政界の重立ちが子分に金をくれるのは常識さ、ということだったのか。寒さにふるえ、してやられ、苦いばかりの中元事件であった。

時間たち、2時間たってもニコニコ顔のご機嫌ぶりに報道陣も引き込まれ、何かおかしいと気付いたときは、検事、事務官らは4県議の逮捕、捜索に向かい、もぬけの殻だったというのだ。「〝やられた〟―報道陣は次席の陽動作戦？にまんまと引っかかってしまった」「丸顔をほころばせて〝いやー武士の情けだよ〟とポツンと言った言葉が印象的だった」と記した。県議への武士の情けで逮捕や捜索の様子を取材させなかったというのだ。

同じ日の逮捕を伝えた1面の記事は「被買収者が逮捕から起訴に持ち込まれるのは確実とみられ、買収容疑者である塚田知事の起訴もこれでほとんど決定的になった」と報じ、「塚田知事の起訴も必至」の見出しが躍る。

4県議逮捕で会期を急きょ延長し徹夜になった県会は、自民党が野党に全面降伏。「県会の威信回復決議」に応じ、威信回復特別委員会の設置を決めた。「県会、泥まみれの閉幕」「声もなし自民党席」の見出しが衝撃の大きさを物語る。

責任を追及

事件を巡る一連の本紙報道での白眉は、自民4県議が逮捕され徹夜県会が閉幕した翌日、1965（昭和40）年12月24日朝刊の1面だろう。

そのころ通常は3面にある社説を前出しし、紙面の左肩で大きく「知事は進退を明らかにせよ」

と題し、責任追及の論陣を張った。

事件で知事室、公舎の家宅捜索を受け、自民4県議が逮捕された。塚田は当選後、病気療養を理由にほとんど県外にいて知事不在の県政が続く、と指摘。

これを受け、県民の県政への不信感は察するに難くないとして「公人としての道義的責任」「激務に耐えうる健康か」「このさい思いをいたすべき」などと記し、「知事として自らその進退を明らかにすべきときにきている」と迫った。

知事塚田、自民県議らが買収の趣旨を否認している段階で、この社説を掲載したのは新潟日報の毅然《きぜん》とした姿勢を表したものといえよう。

「あれはよかったと思う」と県政担当記者だった五十嵐は振り返る。

塚田は、中央政界の派閥における親分子分の中元を例に、今回の中元を「政界の慣例、常識」と抗弁していた。だが「ちょっとおかしいのでは」というのが一般市民の感覚だ。

そうした思いを胸に、中堅や若手記者は編集局幹部に「日報としても意見を表明すべきだ」と言いに行った。日頃から論説委員もよく編集局に来て「お互いにやりあった」という。それが影響したのかもしれない。「わが社は昔からオープンな雰囲気があった」と五十嵐は目を細めた。

新潟地検は4県議逮捕後も攻勢をかける。官公庁「御用納め」の12月28日、次席検事丸物が陣頭指揮し、自民党県連事務所を家宅捜索した。

年が明けた66年1月5日には、知事選の出納責任者を務めた塚田の私設秘書、自民県連事務局長、県連事務員の３人を逮捕した。

当時の新潟地検は今とは違う新潟市川岸町にあった。現在、ＮＨＫ新潟放送局が立つ場所に、戦後まもなく造られた木造2階、すき間だらけのおんぼろ庁舎だった。

激しい地検の動きを追い、ホットな取材合戦を繰り広げる報道陣だが、折しも季節は厳冬期。寒さとの闘いでもあった。

地検担当記者の今野は「暖房はほとんどないに等しく、ズボン下を2枚重ねて行っても、寒さがじんじんとコンクリートの床から伝わってくるほどだった」と後年、コラム「日報抄」に記した。

知事に迫る新潟地検の一挙手一投足に県民の注目が集まる。警察と比べ、検察は一般県民になじみが薄い。それもあってか1月7日朝刊社会面トップで検事正伊尾宏、次席丸物の人となりを紹介した。

伊尾は東京地検特捜部時代、昭和の三大疑獄事件の一つ、昭和電工事件を主任検事として手掛け、副総理の西尾末広を逮捕、芦田内閣を崩壊させた。それを挙げ「県政をひっくり返すぐらい実は小指の先で足りるのかもしれない」と評した。

新潟地検に着任した際に伊尾は「年に一、二回は特捜事件（検察が独自に捜査する事件）をやろう」とあいさつ。「特捜的機能をなくしたら検察庁の意味がなくなる。たまには伝家の宝刀をぬかなくちゃあ、ねェ」と発言したのを引き合いにこう記した。

「特捜事件が土台好きなのだ。その人のところへ二十万円事件が、向こうから飛び込んできたのだから塚田知事も運が悪かった」

丸物についても趣味のマージャンと絡めて「事件ももうそろそろテンパイだ。ヤクマンをツもるのも近いだろう」と〝大胆予測〟し、「二十万円事件の捜査でも二人は県民の後ろ盾を信じているようだ」と締めた。

地検が忙しく捜査を進めているのを伝える別の記事にはこんな記述もある。

「ある職員が、こんな重大な時期に新潟地検に籍を置いたことに意義がある、と目を輝かせたのが印象的だった」

政治家の不正に立ち向かう検察に、県民の期待も高まった。

病床の逡巡

本紙社説に進退を迫られた塚田はどういう状況だったのか。暮れも押し迫った1965（昭和40）年12月30日、二十数日ぶりに新潟市に戻り、新潟大付属病院に入院。66年1月5日の秘書ら3人逮捕の報も病床で聞いた。この間の塚田の肉声を伝える報道はない。

当時、経済担当キャップだった山田一介は「私は蚊帳の外であの事件はまったく取材していないが、後でワダカンさんが話してくれたのはよく覚えている」と振り返る。

ワダカンとは当時の新潟商工会議所会頭、和田閑吉。歯に衣着《きぬ》せぬ直言居士として知られた。

山田は約4年後、和田から入院中の塚田に辞職勧告した秘話を聞き、記事にした。それによると、和田は66年の正月、病院に詰めていた記者も帰り、人目につかない夜を見計らい、病床を訪ね、塚田に道義的責任は逃れられないとして辞職を要請した。

それに対し塚田は「私は辞めたい。今すぐにでも辞表を書きたい。しかし私は自民党員だ。党の決定がなければ勝手に行動するわけにいかない。もう少し待ってほしい」と涙を流して心境をもらしたという。

これを裏付けるかのような報道がある。1月10日、塚田の弁護人に就いた元検事総長の弁護士花井忠が新潟地検を訪れ、検事正の伊尾に面会した。

花井は、自民党県連会長で旧3区衆院議員の亘四郎に塚田の弁護を頼まれたと語った。

自民党にとっては、ひとり塚田の問題でなく、4県議や県連事務局長らが逮捕され、「中元」を受け取った40人超の自民県議が公選法違反（被買収）に問われる大ピンチ。一括起訴にでもなれば本県の党組織は壊滅する。

罪を認めることになりかねない塚田辞職などもってのほか。元検事総長の大物弁護士を通じて中元の正当性などを地検に強力にアピール、起訴を回避する戦術に出たのだ。

しかし地検はその後も着々と捜査を進めた。次席の丸物は13日から18日まで、実に6日間連続で入院中の塚田を集中的に取り調べた。

19日本紙朝刊は「知事ら来週にも起訴か」「情況証拠がそろう」「県議側は被買収認める」の見

出しの記事を掲載。「早ければ来週中にも地検としての態度を決定するもよう。もちろん公選法の買収、被買収で知事、県議らを起訴することは確定的である」と報じた。

この頃、県民の県政批判、粛正を求める動きが一気に広がった。労働団体、女性団体、社会党、共産党などが「県政粛正県民会議」を結成し18日夜、新潟市で900人を集め、大会を開いたのを皮切りに、新発田市、上越市、加茂市、三条市などに拡大した。署名活動が始まり、街頭で「知事はやめろ」とのプラカードが掲げられた。去就に注目が集まる中、塚田は21日、3カ月ぶりに県庁に登庁した。在庁わずか1時間。15分だけ記者会見に応じ、政治的、道義的責任は認め陳謝しつつ、続投の意思を表明した。

24日の本紙朝刊に「20万円事件〝断〟は来月上旬」「最後の〝詰め〟に慎重」との記事が載った。検事正伊尾が22日に東京高検での会議に出席したのを受けた内容だ。19日朝刊の「来週にも起訴か」の状況から、高検段階で慎重意見が付され、さらなる捜査を求められたことがうかがえた。

塚田は2月1日、新潟地検に呼び出され、丸物の取り調べを受けた。補充捜査の必要上とされ、事情聴取は6時間にも及んだ。

翌2日の本紙は「知事、中旬に起訴か」「買収？贈賄？動かぬ不正」「補充捜査もヤマ越す」と、三たび塚田が起訴される見通しを報じた。

時期は後ずれしながらも起訴濃厚との内容は一貫していた。今野ら本社記者が取材した新潟地検の考えがその方向でぶれなかったからだ。

辞職と不起訴

1966（昭和41）年2月12日午後1時すぎ、塚田は知事公舎で記者団を前に辞意を表明した。

「私は諸般の情勢にかんがみ、政治家として道義的責任を痛感し（中略）県議会の協賛により予算案が成立したならば、直ちに知事の職を辞する決意であります」

声明文を持つ手は小刻みに震えていた。

翌13日朝刊1面の「県政界新たな局面へ」という大きな横見出しがこの会見の意味を一言で言い表している。最大の関心はポスト塚田に移った。社説のタイトルも「〝明るい県政〟を再建しよう」だ。

事件については社会面の片隅に「処分に影響はない？」との見出しで塚田の辞意表明が地検の処分決定に微妙な変化を投げかけるのではとの記事が載っただけだ。

事実、この日を境に、地検の捜査を報じる記事はしばらく影をひそめた。地検の動きがぱったりやんだからだ。

それにしても、なぜ塚田はこのタイミングで辞意を表明したのか。当時の紙面をひも解くと、後で意味を持つ出来事が断片的に記事化されている。

時計の針を少し戻す。2月6日、県会議長渡辺が塚田と面談、新年度予算を暫定予算にするよ

新潟日報不買運動の裏にあった急展開

五十嵐幸雄（元新潟日報社社長）

中元事件という大波の中で、その余波というべきか「新潟日報不買」のさざ波が打ち寄せようとしていた。1966（昭和41）年2月7日、自民党県会議員総会の席上、党県連会長の亘四郎代議士が、「新潟日報の報道は論説、記事ともに知事や自民党にとって不公平、不利の扱いという印象を受ける」として次の臨時党県連大会に新潟日報の不買決議を提案すると発表した。

8日早朝だと思う。朝刊の記事を見た小柳胖常務から指示があり、その日の昼過ぎ、新潟市古町の料理屋で、亘、小柳と、記録・証人役の私と3人による会合が行われた。

2人はかねて面識があったようで、笑顔であいさつした後、小柳が質問、亘が説明する段取りで進められた。

―記事や論説のどのような内容が不公平や不利と思われたのか。

「全ての記事ですよ」「中元事件の記事が出るたびに、知事や自民党の評判が悪くなる」

―それでは中元関連の記事は書くな、ということになる。

「記事の後に解説が付く。あれを読むと自民党や知事が悪いことになっている。」

―事件の背景や問題点を説明しているわけで、読者にとっては必要なこと。書かなければ日報が読者から批判を受ける。

―特に不公平と思われる例は。

「党内にはいろいろあるがまとまっていない。困っているんです。いろいろな意見があって…」

その後、亘はしきりに「困った」とつぶやき、落ち着かない様子が続く。

とぼけるのがうまい―との亘評があるが、表情はとぼけているようには見えない。何か新しい動きがあったのだろうか。しかし、その当事者の一人がここに出席しているからそうも思えない。

小柳は質問の間合いも取りにくく会話が進まないとみたのだろう。やがて「亘さんは連日のご苦労でお疲れの様子です。きょうはこの辺で打ち切り、また改めて、としましょう。私どもも内々の話ということにしますので…」と言い、わずか20～30分で終了した。

結局、「日報不買決議」は後日の臨時県連大会に提案されず、不発に終わった。

後年分かったことだが、あのとき亘は事態の急展開に頭を痛めていた。県議総会で日報不買をぶち上げたその夜、塚田の辞意を聞き、慰留したものの翻意させるには至らなかった。困惑顔の裏にはそんな事情が隠されていた。事件の余話の一つである。

う要請した。自身も県政混乱の責任を取り議会終了後に辞任すると申し入れ、言外に塚田に辞職を求めた。塚田は拒否し物別れに終わった。

7日、自民県議総会が新潟市で開かれた。県連会長亘、稲葉修、小沢辰男の3衆院議員も出席、県会対応を協議し13日に臨時党大会を開くことを決めた。席上、亘から中元事件の報道が一方的だとして新潟日報の不買を臨時大会に提案したいとの意見が出た、とある。

8日、東京高検との打ち合わせのため検事正伊尾、次席丸物が上京し、9、10日、検事総長ら首脳と対応を協議した。本紙は「結論の出る段階にはほぼ遠かったもよう」と報じた。

辞意表明から2カ月後、注目の判断が下った。

4月11日午後3時半、伊尾は新潟地検で記者会見し、塚田と自民県議42人を証拠不十分で不起訴にすると発表した。

12日の本紙に「公判維持に確信なし」「黒でも白でもない」「政治的圧力はなかった」と伊尾の発言から取った見出しが並ぶ。1面の解説記事には、高検の慎重意見に押し切られた地検の無念さが書かれ、自民党と最高検・高検との間で知事辞職による政治的取引があった可能性を示唆した。見出しは「辞任、微妙に作用?」だ。

塚田知事、自民県議らの「不起訴」を発表する伊尾宏検事正。「灰色」の結末に報道陣はどよめいた（1966年4月11日、新潟地検）

翌13日の記者座談会の記事では、処分への疑問、不満を示す記者の発言が目立った。

「地検自体不本意な結論に違いない」「2月9、10日の高検打ち合わせでは起訴に絶対の自信を持って臨んだ。12日に知事が辞職を表明しておかしくなった」「専門家は裏に何かあったと見るだろう」「一般市民もそう思うよ」「どうにも納得できない」「おかしい」「丸物次席の胸の内は察するにあまりある」

確かに塚田は一貫して買収の趣旨を否認した。知事1期目の任期が終わり、退職金が出ると知り、日ごろ世話になった自民県議に中元として贈った、中央政界でも中元に現金を渡すのは慣例であり常識だ、と主張したという。受け取った県議の側からは、選挙目当ての金と認める供述を得ていたとされる。だが金銭授受時に選挙依頼の明確な言葉はなかったようだ。その点が判断の分かれ目となった。

とはいえ、過去に例のない県政界における多額の現金中元、吉浦の出馬など知事選を巡る情勢。選挙買収目当てと見える状況証拠は十分だった。

塚田らの不起訴に奔走した憲法学者出身の稲葉も後年、「起訴されても検察ファッショと言われることはなかったろう」と認めた。

時の法務大臣は塚田の国会議員時代の派閥の領袖《りょうしゅう》、石井光次郎だ。首相佐藤栄作は1954年の造船疑獄の際、法相の指揮権発動により東京地検特捜部の逮捕を免れたことがある。本県旧3区選出で塚田と親しい田中角栄は自民党幹事長の要職にいた。

不起訴発表後、野党は「第二の指揮権発動では」「一種の司法取引だ」と国会で追及した。そう疑われる余地はあった。

10年後、退官し弁護士になった丸物は本紙取材に「処分に政治的影響? それはありませんでした」と答えた。

生々しい証言

塚田の辞職と不起訴は引き換えだったのか。後年の取材で次の事実が分かった。

1966(昭和41)年2月7日夜、塚田は、かぜをこじらせて東京逓信病院に入院中の自民党幹事長田中角栄に電話をした。心境を告げ、知事辞職に了解を求めるためだ。

「党を助けるつもりで辞める。このままでは2月県会も乗り切れない」と切り出した。田中は「何を言っているんだ、頑張れ」と慰留したが、塚田は「もうだめだ。自分で分かる」と言い、電話を切った。

しばらくすると今度は田中から塚田に電話が入った。「佐藤首相と相談した。辞める時期は党に任せてくれ」と言ったという。

このとき田中は、自民県議総会を終え新潟市にいた自民党県連会長の亘にも電話して塚田の辞意を伝えた。驚いた亘は衆院議員の稲葉、小沢と知事公舎に駆け付け、慰留したが、塚田の辞意は固く「とにかく公表だけは待て」と言い聞かせ帰った。

小沢の生々しい証言が残る。8日に東京に取って返した小沢は国会で法務大臣の石井光次郎に相談した。石井は塚田がかつて属した派閥の長だ。

「大臣、塚田さんは辞めなければいけないのでしょうか。慰留したいのですが」と言ったら、即座に「君、（塚田は）辞めてくれなきゃ困るぞ。すぐだぞ」と言われた。辞めなければ逮捕されるという意味だから「後始末の時間だけください」と頼んで新潟に戻った。

稲葉も後年の取材にこう答えた。「検察側も、政治的取引ではないが、辞職が望ましいのではないか、ということだった」

ちなみに亘が7日の自民県議総会でぶち上げた新潟日報不買案は結局、県連大会で提起されなかった。大会自体が12日の塚田辞意表明のごたごたで13日から20日に延期された。

ところで、事件にはもう一つの謎がある。塚田がなぜ自民県議に20万円という大金を中元に贈ったのかという動機だ。

五十嵐と入れ替わりに東京支社に転勤するまで、塚田の1期目など県政を長く取材した白川政雄は言う。「あの段階で金をまくなんて常識では考えられない。よほど泡を食ったのだろう」。塚田の表も裏も知る吉浦が田中彰治をバックに出てきたことに、塚田は相当の恐れを抱いたと推測する。

35年後、事件を再取材した編集委員の望月迪洋は、塚田の元秘書の証言を得た。

吉浦の周辺がきな臭くなった65年の初夏、塚田が東京・目白邸に田中角栄を訪ね、吉浦を押さえられないものかと持ちかけた。

目白から戻った塚田は元秘書に話した。「そんな弱気じゃだめだ。県議をまず押さえるんだ。チマチマと小金を渡すんじゃなくて、もっとドンと、しかも全員にだよ」―と逆にハッパをかけられた、と。

司法担当記者だった今野は「県政界はカネに汚いと言われていた。不起訴とはいえ、あれで一つの句読点が打たれた。政界浄化には悪くなかった」と検察の捜査に一定の評価を与え、その上で「20万円を配るなんて、まがまがしい（けしからん）よね」と総括した。

後日談を書かねばならない。塚田は68年7月の参院選で非公認ながら自民党公認候補を破り国政に復帰、参院議員を3期務めた。

中元事件の際、「塚田を逮捕しろ」と新潟地検に座り込んだこともある田中彰治は塚田不起訴から4カ月後の66年8月、衆院決算委員会での質問を嵩《かさ》にゆすりたかりをしたとして詐欺や恐喝などの容疑で東京地検特捜部に逮捕され、政界を去った。

首相に上り詰めた田中角栄は退陣後、ロッキード事件で76年7月、東京地検特捜部に逮捕された。その後も「闇将軍」として政界に君臨、亡くなるまで法廷闘争を続けた。

亘は塚田不起訴2日後に告示された知事選に出馬、社会党系候補を僅差で破り当選。知事2期を務め、参院議員に転じた。

戦後、民選となってから今まで本県知事は10人を数える。塚田辞職の四半世紀後、金子清が再び政治とカネの問題で途中辞職した。知事の座とカネにまつわる不祥事は繰り返された。「特捜」事件がしばらくないのは、撲滅できたのか。それとも…。

金子辞職から四半世紀後の２０１８（平成30）年、今度は女性問題で米山隆一が知事の座を去った。スキャンダル絡みの知事途中交代はもう終わりにしてもらいたい。

米山の醜聞を聞いたとき、ワダカン（前出の和田閑吉）が塚田に辞職勧告した言葉を思い出した。知事たる者、疑いをもたれるような事件を起こせば理由のいかんを問わず道義的責任を逃れることはできないと指摘してこう言った。

「県の最高責任者が、公の場であいさつすることも、学校で子どもたちに話をすることもできないではないか」

知事には県民の代表としての強い倫理感が求められている。

〇　〇

塚田がスキャンダルで知事辞職してから53年後の２０１９（令和元）年７月21日、参院選で３選を目指した五男の一郎が敗北を喫した。

一郎は４月、福岡県知事選の自民候補の応援に行った際の演説で、福岡県と山口県を結ぶ道路整備を巡り、安倍晋三首相（衆院山口４区選出）と、自身が所属する派閥の長である麻生太郎副総理（衆院福岡８区選出）を引き合いに「私が忖度した」と発言。国交副大臣として事業化に関与し利益誘導したのではないかと問題になり、４日後に副大臣を辞任した。この「忖度発言」が自身の選挙に影響した。

一郎の落選で自民党は１９５５（昭和30）年の結党以降初めて、参院新潟選挙区の議席を全て失った。

知事辞任後、参院に転身し、新潟選挙区から3回当選を果たした塚田。中元事件で公選法違反（被買収）の疑いで逮捕された自民県議4人の一人で後に参院議員となり当選3回、『結党以来の党人』を自認した吉川芳男元労相（2018年4月死去）。ともに新潟選挙区を守り続けた党人は、泉下で「自民議席ゼロ」を嘆いているに違いない。

第3章　西山町公金不正融資事件

町のトップが長年にわたって、多額の公金を地元建設業者に不正融資していた――。前代未聞の事件が発覚したのは1990（平成2）年7月10日。舞台となったのは、元首相田中角栄生誕の地、刈羽郡西山町（現柏崎市）だった。かつて越山会の聖地と呼ばれた町で一体、何があったのか？　本紙の記者たちが取材に動き始めた。

西山町不正融資事件で関係書類の詰まった段ボール箱を運び出す捜査員。県警による強制捜査が始まった（1990年7月15日、西山町役場）

突然の辞職

１９９０（平成２）年7月10日の昼前のことだった。西山町の町長・駒野忠夫は、町長室に助役と収入役を呼び、切り出した。町に裏口座があり15億円を超える「一時借入金」があること。その金が町内の建設業者に不正に融資されていること。その精算を迫ったが、たった今、逆に追加融資を求められ断ったこと―。怒りに顔を紅潮させていた。

「俺は腹を決めた。これから出るところに出る」と言って辞表を書いた駒野はその後、柏崎署に出頭した。町長経験者２人をはじめ６人が背任の疑いで逮捕されることになる西山町公金不正融資事件が明るみに出た。

事件発覚の知らせは夜になって伝わった。本紙の記者もいち早く動き始めた。地元の柏崎支局はもちろん、長岡からも応援部隊が現地に向かった。柏崎支局の支局員だった間狩隆充は取材先と雀《じゃん》卓《たく》を囲んでいるときポケベルが鳴った。長岡支社報道部の若手・中堅記者たちは飲み会の席上で事件発覚を知り、タクシーに分乗して柏崎を目指した。長期戦となる真夏の取材合戦が始まった。

翌11日朝に開かれた町議会全員協議会で、不正融資のため流用された公金が15億３９００万円余りあるとの報告がなされた。90年度の一般会計予算が28億４８００万円の西山町にはあまりにも大きすぎる金額だった。

町民からは「町民の知らないところでこんな勝手なことができることこそ大問題。責任をとってもらいたい」と怒りの声が上がった。ロッキード事件で揺れた角栄の町のイメージダウンを心配する声もあった。

さて、柏崎署へ出頭した駒野は夕方、町役場に戻った。そして夜になって自宅に警察官が来て同行を求められた後、行方が分からなくなった。11日夜になっても戻らず、町長夫人は「家を出てから一度も連絡がない」と不安な表情を浮かべた。

町議会議長などを歴任した駒野は88（昭和63）年9月、越山会系の3新人で争われた選挙戦にわずか11票差で初当選した。町では20年ぶりの町長選挙だった。初当選から2年足らずでの辞表提出に町民は驚きを隠せなかった。

駒野が公の場に姿を現したのは13日になってからだった。臨時議会で辞表が承認されたこの日、記者会見に臨んだ。

会見では、当選から3カ月後の88年12月、不正融資の事実を知らされたことや、9千万円を建設会社社長に新たに貸し付けていたことを明らかにした。さらに不正融資の全貌を町長自身が知らされていなかったことも語られた。最初は89年3月までに返済するという話が、5月、9月と延び延びになり、12月にさらに多くの一時借入金があることを知ったのだという。駒野は「この12月の時点で辞職を覚悟していた」

「そんな違法なことはできないと何度も断った。しかし何度も頼まれ、断り切れなかった」。駒野が断れなかった相手とは誰なのか――。88年まで24年間にわたって西山町に君臨した大物町長だった。

聖地

西山町は言わずと知れた元首相・田中角栄の生まれ故郷である。後援会「越山会」の聖地とされ、その威光は絶大だった。

1972（昭和47）年に新潟県人として初の首相となった田中。金権批判によりわずか2年5カ月で首相の座を降り、ロッキード事件で実刑判決を受けながらも「闇将軍」として権力を持ち続けた。しかし85年2月に脳梗塞で倒れ、89年10月には政界引退を正式に表明していた。

「角さんが元気なら、こんなこと表に出なかったろうに」。不正融資が発覚した直後、ある町議がつぶやいた。そして「駒野忠夫町長は、前町長のツケを一人でしょったようなもの」とコメントした。

その前町長・江尻勇は1964年に助役から町長に就任した。越山会最高幹部の一人で、6期24年間、西山町に君臨した。

元首相ばりのだみ声、豪放磊落《らいらく》で聞く人を引きつける話術。目白（田中）に直結し、中央との人脈も広かった。周辺市町村の関係者から、いい意味でも、悪い意味でも「天皇」と呼ばれる大物町長だった。

夜討ち朝駆け、張り番の長い夏

間狩隆充（新発田総局長）

ポケベルが鳴ったのは、夜の何時ごろだったろうか。柏崎市内でマージャンをしていたことは、はっきり覚えている。長岡支社に電話すると、「駒野が柏崎署に出頭した。すぐ署へ行け」と、先輩のドスの利いた声が、受話器に響いた。

柏崎署はいつものようだった。少なくとも1階フロアは普段の当直体制だった。他社もいなかった。その静けさを破るように、長岡支社の先輩たちが飲み会を途中で切り上げ、駆けつけてきた。

その後、柏崎署から公金が流れていた西山町の建設会社へ向かった。真っ暗な中で、建物の写真を何枚も撮った。それから、駒野町長の家へ向かったように記憶している。当然、何も成果はなかった。

西山町不正融資事件の思い出は、発覚当夜が最も印象深い。先輩たちの酒も入っていたための陽気な振る舞いから、事件の重大さがいまひとつ実感できず、むしろ楽しい夜だった。

しかし、楽しさも一夜だけ。翌日からは、夜討ち朝駆け、昼間は役場や事件関係者宅前での張り番が続く、長い夏が始まった。

今のような過酷な暑さはなかったが、夏の照りつける太陽の下で、張り番中に睡眠不足から、うとうとしたこともあった。

9月異動で本社整理部への配属となったが、4日の関係者逮捕まで柏崎支局で取材をできるよう、本社に計らってもらい、大きな区切りの場面を取材することができた。

事件発覚後、江尻は「地元企業育成のためだった」と融資の経緯を説明した。また取材に応じて、「私が援助したのは1回だけ。15億円という金額に私も驚いている」と釈明した。しかし、捜査が進むと、長期間にわたって不正な融資が行われていたことが、明らかになっていく。さらに柏崎市に本社のある別の建設会社への融資も判明する。

7月15日の本紙は、事件に絡み県警が「江尻元町長から聴取」と伝えた。また融資を受けた建設会社の男性社長も任意で事情を聴かれているという。町長の突然の辞職に端を発した不正融資事件の核心に捜査が迫っていることをうかがわせた。

その朝刊が配られた朝、県警は西山町役場や江尻の自宅など8カ所を一斉に家宅捜索した。日曜日で静まりかえった町役場。捜索はまず町長室から始まり、次に収入役室で行われた。さらに建設、産業観光、総務の3課に及んだ。

本紙は翌16日から朝刊で緊急連載「黒い巨額融資」（全3回）を始めた。不正融資に関わったとみられる関係者の証言が食い違っていることを指摘、さらに江尻と融資先の社長の親密さを伝えている。

そして、事件の「特殊事情」として、舞台が越山会の聖地だったことについて検証している。「江尻町政刷新」をうたって町長になった駒野が、89年12月3日には既に事件の重大さに気づきながら、同月9日に江尻の叙勲パーティーがあることから、公表をためらったことを明らかにした。

その記事に掲載された写真はこの叙勲パーティーの様子。元首相の名代として出席した後の外相、田中真紀子があいさつする姿があった。江尻がいかに越山会の中で力を持っていたのかをうかがわせる一こまだった。

出直し選挙

1990（平成2）年8月、西山町に新町長が誕生した。「町民党」を掲げ、事件の徹底究明を訴えた僧侶の戸次義一が、保守系候補を下した。元首相・田中角栄の出身地で保守王国として知られた町に、社会党と共産党という革新政党の推薦を受けた町長が誕生するのはもちろん初。越山会系でないという意味でも画期的だった。田中の引退表明から1年足らず。越山会支配が生み出した不正融資の利権構造を町民が否定した結果といえた。

公金不正融資事件による出直し町長選は、越山会のたがが緩んで初めての選挙だった。衆院選で常に田中票が80%を超える町では、「自民党支部は越山会の枝葉の一つ」（当時の支部長）にすぎなかった。しかし、越山会の解散で、町議団と党支部幹部が初めて主導権を握ることになり、保守の候補調整は二転三転した。3人が立候補の意思を示し、共倒れを避けるため一本化を模索したが、町議経験のある綱島芳郎の推薦を決めたのは告示4日前のことだった。

住民たちの多くは、元首相不在の選挙に戸惑いながらも、高い関心を寄せていた。本紙は告示を前に、町民アンケートを行っている。「投票に行くか」の問いに9割が「行く」と回答。新町長

頭の中が真っ白に。苦い教訓

斎藤祐介（編集局次長）

締め切りが迫る中、夕刊原稿がまったく書けなかった。前線基地となった旅館大広間に置かれた長机の前で固まっていた。ペラ紙（原稿用紙）に「駒野忠夫前町長は」と書き出したが、そこから鉛筆が進まない。時間が止まればいいのにと思った。

入社2年目だった私は、十日町支局から事件に駆り出された。特定の場所に張り付き、一連の動きを取材する「張り番」である。

県警の一斉事情聴取があった8月28日、朝から駒野氏宅前に立った。予想される聴取者に該当しなかったので、ヒヨッコ記者を当たらせたのだ。他社はいなかった。

駒野氏が家から出てきた。池の鯉にえさをやるのだという。のんびりとついていった。応援取材という立場に甘え、事件について何も知らず、積極的に質問する発想がなかった。

そこに、本社から派遣された西田忠邦デスクが現れた。ジーンズにTシャツ、ポケットに手を突っ込み、駒野氏に話し掛けた。世間話のような自然さに、私はメモも取らず、ぼーっと立っていた。

「今の話、夕刊用、60行。（旅館に）上がって書いて」

駒野氏が家に入ると、デスクが言い残し、別の張り番先に向かった。しまった。何も覚えていない。頭の中が真っ白になった。

「すみません……」

巡回先から旅館に戻ったデスクに頭を下げると、西田デスクはすらすらと書き出した。怒鳴られるよりつらかった。苦い教訓だ。

に期待することでは「事件の真相究明」（自営業男性58歳）を求める声が目立った。48歳の自営業男性は「二度と事件を起こさないよう徹底的に綱紀粛正を」と求めた。「当事者は自分の財産を処分してでも責任をとるべきだ」と憤る女性もいた。

「きよめて出発　明るい西山」をキャッチフレーズに町長選に臨んだ戸次は「何が保守なのか――民主政治を守ることだ。何が革新なのか――金権腐敗をなくすことだ」と、町民党を強調した。一方の保守統一候補の綱島陣営は「革新に町政を渡すな」と訴えた。

約400人の町民が参加した「真相を明らかにさせる町民大会」。「真相を徹底的に究明せよ」などと厳しい声が上がった（1990年７月30日、西山町坂田の農村環境改善センター）

8月26日の投開票日。本紙は柏崎支局のほか本社、長岡支社からも記者を投入。本社報道部のデスクも前線に張り付き、万全の態勢で臨んだ。

当落が決したのは午後8時半ごろだった。当確の報がもたらされた戸次の選挙事務所は、約80人の支持者が一斉に立ち上がり、大歓声を上げて喜びに沸いた。

その事務所に、9月1日付で本社に転勤が決まっていた柏崎支局の間狩隆充がいた。「勝因は町民の良識」「町民の怒り、訴えを背に立ったんだ」。一言一言、勝利をかみしめるように語る戸次を取材した。間狩は「熱気がすごかった。それをそのまま記事にしよう」と原稿用紙に向かった。

翌27日朝、戸次は町役場に初登庁した。「町政の立て直しと、真相の徹底究明を」。独特のしゃがれ声で決意を語った。その言葉通り、新町長として職員への訓示、記者会見、課長会議、議会運営委員会と、初日からフル回転した。

真相究明のために町議会に設置された「百条委員会」では、9月5、6日に集中審議を開催、江尻元町長、駒野前町長と収入役経験者、融資を受けた地元企業に加え、町に融資していた金融機関の担当者も証人として喚問することが決まった。

戸次の公約だった真相究明に向けて大きく動きだすかに見えた。だが、それを上回る速さで警察の捜査が進められていた。

「きょう一斉逮捕へ」

9月4日の本紙朝刊1面に、大きな活字が躍った。「背任容疑で元町長ら6人　きょう一斉逮捕へ」。発覚から約2カ月。捜査が最終局面を迎えたことを伝えるスクープだった。

当時、本社報道部で司法担当のサブキャップとして事件を取材していた高橋正秀は振り返る。「フライングをして誤報を出してしまった社もあり、神経をすり減らした」。夜に捜査幹部の自宅を訪ねる「夜回り取材」が毎晩、続いていた。報道各社の連日の夜討ち朝駆けにたまりかねた県警刑事部長の長谷川貞夫が、お盆が近づいたある日、「今日、明日の逮捕はありません。お互い少し休もう」と各社キャップを招集、非公式会見を開くほど取材合戦は過熱していた。異例の「逮捕なし」会見が、逆に「逮捕は近い」と疑心暗鬼を生み、夜回りでキャップ同士が鉢合わせになった。84歳になった長谷川は「あの事件は、角さん（元首相・田中角栄）絡みで東京（霞ヶ関・永田町）方面では騒がしかったが、地元は冷めてましたよ」と述懐する。

3日深夜、いくつもの状況証拠と捜査情報を積み重ね、「明日逮捕で間違いないですよね？」と当てると、いつもは「やめた方がいいよ」と答える県警幹部が、この日は否定はしなかった。無言だが目はうなづいていた。高橋は「逮捕で間違いない」と確信して記事を書いたが、「もし誤報になったら」と一抹の不安が脳裏をよぎり、「翌朝まで一睡もできなかった」。

一抹の不安とは、「きょう逮捕へ」の裏付け取材に対し、捜査本部が置かれた柏崎署の捜査幹部が「逮捕はない」と完全否定していたからだ。事件現場に最も近く、マスコミの主戦場となる所轄署と、離れた所から捜査指揮する県警本部の見解が食い違うことはよくあることだったが、引っ掛かっていた。

高橋は眠れないまま夜明けとともに県警幹部宅を朝駆け、インターホンを押すが応答はない。当時、司法担当に配備されていた、肩に掛けて持ち運ぶ大型の携帯電話（ショルダーホン）から電話した。幹部は電話口で「そうか、書いたのか…」と一言。すぐに通話は切断された。

その新聞が配られた4日、記事の通りに元町長・江尻勇、前町長・駒野忠夫、元収入役と現職の収入役、地元の建設会社社長ら6人が次々と、柏崎署や与板署に出頭、背任容疑で逮捕された。「江尻元町長ら6人逮捕」「県警　西山町公金不正融資にメス」。4日夕刊1面は、任意出頭を求められ自宅を出る江尻元町長らの写真を掲載、容疑者たちの出頭する姿を執拗に追った。

警察の調べでは、元町長の指示で当時の収入役らが町の公金口座と裏口座を操作して、一般会計から公金を流用するのと同時に、「一時借入金」の名目で町内にある三つの金融機関から融資を受け、収入役名義の裏口座に入れ、建設会社に流していた。

公金口座の流用が、月例監査で表面化するのを防ぐため、すぐに一時借入金で穴埋めをするという構図だった。

逮捕容疑は、江尻と元収入役が1988（昭和63）年8月にこの建設会社社長に2800万円を融資。これに先立つ87年9月には別の建設会社社長に町の口座から4千万円を融資したとされた。15億円に及ぶ不正融資のごく一部だが、捜査の突破口となった。

「江尻元町長ら逮捕」。本紙号外が現地でも配布された。紙面では容疑者それぞれの朝の動きを細かく伝えている。

江尻は午前10時前、自宅裏口から姿を現し、家人に支えられながら乗用車に乗り込んだ。車は追跡する報道陣の車を従えるように、与板署に入った。

駒野は午前7時すぎ、いつものように養鯉池に向かい、鯉にえさをやった。「警察でも全てを語ったし、逮捕などありえない」と話していた。

一方、午前8時半に登庁してきた町長の戸次義一は「きょう関係者逮捕」を知らされ、「本当か」と言葉を失った。翌5日からは町議会の調査特別委員会（百条委）で江尻や駒野の証人喚問が決まっていた。戸次は「あと2日、待ってくれれば」と、失望の色を隠さなかった。

6人が逮捕されてから6日後の9月10日、前町長の駒野と、現職収入役の釈放を求める嘆願書が新潟地検に出された。2人が江尻町長時代のつけを押しつけられたとの認識に加え、駒野が「勇気ある告発」をしたことにも同情の声が上がっていた。

新潟地検は9月25日、江尻と元収入役、建設会社社長ら4人を背任罪で起訴した。駒野と収入役は処分保留で釈放、その後、起訴猶予となった。

西山町不正融資事件の初公判。傍聴券を求め長い列ができた（1990年12月6日、新潟地裁）

実刑判決

検察が最初に不正融資をしたとして、起訴したのは総額6800万円だった。捜査当局はその後、再逮捕や追送検などで不正融資の額を積み上げていった。

捜査本部は9月26日、元町長・江尻勇ら4人を1987（昭和62）年8月から88年9月にかけて16回にわたり、総額

3億8千万円余りを不正に融資したとして再逮捕した。最終的には合計44件、14億1062万円の不正融資を立件した。

一方、町の調査ではさらに巨額の流用が疑われた。町が議会の調査特別委員会（百条委）に報告した調査結果では「1987年以降の実質的な不正一時借り入れは、29回27億9千万円余り」。わずか3年の間に借入金をいったん返済してまた借り直す「借り換え」を30回も繰り返しており、帳簿上の総額は100億3007万円に達するとされた。

長岡支社報道部の種田和義は、不正融資の金額があまりに大きいことに驚いた。「不正融資を受けた会社社長が韓国でカジノに興じているなど前代未聞の事件だった。しかも議会も監査もあるのに、町長が代わるまで何で発覚しなかったのか、分からないことだらけだった」と振り返る。

元町長を含む4被告の公判は12月6日、新潟地裁で始まった。

「おまえらは返すことを知らん」。刈羽村のレストランの個室で、江尻が建設会社の社長にかけた言葉や、「今回限りです。お願いします」と追加融資を懇願する社長の発言などを、検察側は冒頭陳述で生々しく再現した。

法廷には町長の戸次義一や町議らも駆けつけ、初公判を見守った。「事件の流れがまとまって、今まで分からなかったことがはっきりした」と戸次。町議会百条委の委員長は「これまでの百条委の調査とほとんど変わらなかった。4人の事情聴取ができる状態になったら調査を続けたい」と語った。

公判では、元収入役は初公判で起訴内容を認めた。背任の共犯とされた2人の建設会社社長は当初、罪状認否で「留保」「否認」としていたが、公判が進むにつれ「全て間違いありません」などと認めるようになった。

否認を続けたのは江尻だけだった。91（平成3）年5月の第8回公判で、「知らないうちに（元収入役が）貸し出していた」と証言。起訴された32件の融資のうち「承知していたのは（不正融資先2社の）それぞれ3、4件」と主張した。これに対して元収入役はその後の公判で、「江尻町長が不正融資を承認したのだから仕方ないと思って応じた」と反論した。

民事訴訟について町民に説明する町長の戸次義一（1991年11月3日、西山町の別山コミュニティセンター）

判決は92年3月25日に言い渡された。江尻に対しては懲役4年6月、2人の建設会社社長にはそれぞれ同4年6月と同2年6月、元収入役は同3年6月。被告全員に実刑判決が下された。判決の中で森真樹裁判長は「町民の信頼を裏切り、財政民主主義の根幹を揺るがす前代未聞の不祥事」とし、江尻については「本件犯行の中心人物」と厳しく断罪した。

被告の4人は控訴しなかった。事件の焦点は、町と金融機関が争う民事裁判に移ることになる。

元町長・江尻勇ら4人に実刑判決が言い渡された後、記者会見に臨んだ町長・戸次義一は「舞台は民事に移った」と語った。

和解

西山町は1991（平成3）年1月、第四銀行、新潟大栄信用組合、西山町農協の3金融機関を相手取り、債務不存在確認訴訟を地裁長岡支部に起こした。事件のツケとして残された約15億円の一時借入金について、「契約はいずれも不成立もしくは無効で、町は何らの債務を負わない」と主張。それに対し、金融機関側は「貸借契約はいずれも有効」と反訴した。

口頭弁論で互いの主張は平行線となったが、93年1月に西山町農協との間で、「町が7割、農協が3割を負担する」ことで和解が成立。大栄信組も7月に同様の条件で和解した。

「町の負担は回避する」と公約していた戸次。「和解である以上、五分五分の負担というのが常識」と考えていた。しかし裁判が長引けば「町民の精神的負担を長引かせてしまう」と受け入れを決断。和解を巡る町民説明会では、「公約を守れず申し訳ない」と謝罪した。

唯一残った第四銀行との和解に向けた話し合いが続く中、戸次の体に異変が起きていた。94年1月に新潟市の病院に入院、主治医から「病名はがん。声帯を切除するので声を失う」と告げられた。

2月に裁判所が示した和解案は「債務負担約4億7千万円を町が全額銀行に支払った後、銀行は1億5千万円を町に寄付する」というものだった。実質的な負担率は「7対3」と農協や大栄信組と同じだが、その意味は全く違う。町がいったん全額を返済するということは、責任は町が100、銀行は0ということを意味した。

3月25日、和解成立の場に戸次は「事件の解決を自分の目で見届けたい」と病を押して出席した。その後の会見では、「(寄付は) 和解の一方法」と筆談で思いを示した。

事件の全面解決から2カ月後の5月31日、戸次は辞職願を提出した。任期を2カ月残しての決断だった。自宅の座敷で本紙のインタビューに筆談で応じた戸次は「長いようで短く、短いようで長かった。町長になったことに自分の宿命を感じた」と、3年10カ月を振り返った。戸次は1カ月後の7月7日に71歳の生涯を閉じる。

柏崎支局員としてインタビューを担当した中川一好はこの言葉が「印象に残っている」という。「宿命」とは仏教用語で「前世から定まっている運命」という意味。「行政の素人がいきなり町長になり、事件以外にも大変な仕事がたくさんあったと思う。そのたびに『これも宿命』と自らに言い聞かせて町長職を続けてこられたのだろうか」と中川は今、感じている。

第4章　大光相互銀行事件

信用を何より大切にするはずの金融機関が、巨額の債務保証を帳簿外で処理するという乱脈融資が1979（昭和54）年5月に発覚した。不正の舞台となったのは長岡市に本店を置く大光相互銀行（現大光銀行）だった。経営の健全性を損いかねない異常な事態。県警など捜査機関による空前の大捜査も始まった。「大光相銀で何が起きたのか」「経営陣に対する刑事責任の追及はあるのか」—。記者たちの取材が始まった。

簿外で債務保証をしていたことが判明して一夜明けた大光相互銀行の本店。いつもより大勢の顧客が窓口にやって来た（1979年５月19日）

発覚

春の大型連休が明けた直後の1979（昭和54）年5月11日、金曜日の午後のことだった。78年10月に突然社長を辞任すると表明した駒形斉社長の後任に就いた大光相互銀行（長岡市）の大塚俊二社長が、東京・日本橋の東京証券取引所で記者会見を開いた。こわばった表情の大塚社長の口から出たのは衝撃的な内容だった。

「ことし3月期決算で22億円の欠損を計上し、無配に転落する見通しである」—。金融機関の赤字などあり得ないといわれた当時にあって、大光相銀は79年3月期決算で22億円もの最終赤字を出し、株主への配当金はゼロになるというのが会見の骨子だった。

保証料を取らずに巨額の債務保証を帳簿外で行って大光相銀に損害を与えたとして、駒形元社長と元常務2人の計3人が商法の特別背任容疑で逮捕されることになる「大光相互銀行事件」。その端緒が明るみに出た瞬間だった。

大塚社長の説明によると、経緯は次のようなものだった。主に県外の不動産、レジャー産業などに積極的に資金を貸し付けてきたが、土地ブームの冷え込みで融資が不良債権となり、焦げ付きが発生。回収困難とみられる20件、60億円の不良債権を一括して償却することにした結果、22億円の赤字転落が避けられなくなった、という。

大光相互銀行の粉飾決算問題について記者会見する大塚俊二・同行社長（1979年５月、東京・日本橋の日銀本店）

「信用秩序の維持」を第一に掲げる大蔵省が、箸の上げ下ろしに至るまで金融機関を指導・監督していた時代である。銀行・相銀の赤字は20年ぶりとなる極めて異常な事態。大蔵省と日銀は、金融支援態勢が取られると緊急発表した。本紙は翌12日の朝刊1面トップで「大光相互に緊急融資　赤字22億円、無配に　土地融資こげ付く」との大見出しで報じた。

赤字の原因となった不動産やレジャー関連の貸し付けは、昭和40年代後半から増えたと大塚社長は明らかにした。田中角栄元首相が唱えた列島改造論で、国内では土地ブーム、レジャーブームが沸騰。大光相銀は不動産、レジャー関連の貸し付けを増やすことで業容拡大を図ろうとしたが、ブームが去り、あとには不良債権の山が残ったのだった。

不良債権が処理されることなく79年まで持ち越されたのはなぜか。大塚社長は「融資先の事業を発展させて、不良債権を不良でなくしたい」との考えから、「（本来ならば早く償却すべき債権に）追加貸し付けをしてきたが、銀行の考えるようにうまくは進まなかった」と、融資態度が安易だったと述べた。

本紙報道部経済クラブの金融担当だった望月迪洋は、会見を聞き、「発表されていない何かが大光相銀には隠されている」と直感。報道部長の藤崎匡史に「1週間、大蔵省で取材させてほしい」と願い出た。「何があるのか」と問われ「それは分かりません。だから取材させてほしい」と返答する望月。「何かあるだけじゃ行かせられん」とあきれながらも、藤崎は東京出張を認めた。

本紙は大蔵省の記者クラブに加盟していなかったため、原稿の配信を受けている共同通信社に頼み込んで「共同通信記者」の肩書で取材を始めた望月。身分を明かした上で、大蔵省幹部や旧知の日銀幹部への取材を進めると、さらに深刻な事態が大光相銀に起きていることが、おぼろげながら見えてきた。「裏の手を使った融資」。だが、これが具体的にどんな融資で、どんな意味合いを持つのかまでは分からなかった。

簿外債務保証の衝撃

22億円の最終赤字を発表した会見から1週間後の5月18日、大光相銀の大塚社長は2度目となる記者会見を東京・日本橋の日銀本店で開いた。語られたのは1度目の会見をはるかに上回る衝撃的な内容だった。大光相銀は1978（昭和53）年9月末時点で740億円にのぼる簿外債務保証があったというのだ。

簿外とは貸借対照表に記載せずに隠す不正な経理手法。大蔵省は、これまでの同行の決算は粉飾の疑いがあるとして、本格的な調査に乗り出す方針を明らかにした。金融機関として極めて異例の粉飾事件に発展する可能性が浮上し、大光相銀の経営悪化問題は全国ニュースとして注目を浴びることになった。

「地方の相互銀行の赤字決算や無配ならともかく、簿外債務保証は金融パニックを引き起こしかねないと想像がついた。ニュース価値が急上昇した」と望月は振り返る。

債務保証とは、取引先が他の金融機関から借り入れた資金の保証を行う行為だ。債務保証する際は取引先から保証料を受け取り、帳簿に計上する必要がある。こうした手続きを行えば問題ないが、大光相銀は保証料を取らず、帳簿に記載しない不正をしてきたのだった。

異例の事態に会見では次々に質問が飛んだ。大塚社長は未計上だった740億円について、融資先は約30社で、不動産関連が多いこと。自分は不正経理を知らず、関わっていたのは駒形元社長ら数人の役員だったこと。保証料を帳簿に計上しないで済むよう徴収しなかったことなどを明らかにした。

不正経理に走った理由として、昭和40年代後半の業容拡大の際、取引先の資金需要に応じるには手持ち資金では不十分で、債務保証によって資金需要に応じていたのではないかとも説明。大光相銀はもともと債務保証の比率が高く、73年に大蔵省から比率を落とすよう指示を受けたが、思うように比率が下がらなかったため簿外処理をしたのではないかと述べた。その上で、駒形元社長ら関係者の責任追及を検討していることも明らかにした。

駒形元社長は70年11月に大光相銀社長に就任。78年11月に退任するまで経営トップとして君臨してきた。同年10月に突然退任を表明したのは、簿外債務保証などで膨らんだ債権の回収が切羽詰まり、窮地に追い込まれたためだった。

不正に関与していたと名指しされた駒形元社長はこの日の夜、本紙記者の取材に応じた。「未計上の債務保証の問題は、長い期間のことで正確な記憶はなく、今は触れたくない」と答え、経緯については「これ以上貸し出しにくい場合でも救済すれば立ち直れるという見方が強かったのではないか。個々の具体的なケースは社長がすべて了解しているわけではない。しかし総括的な責任はあり、世間を騒がせたことはおわびしたい」などと述べた。

その頃、望月は1週間にわたる東京での取材を終え、列車で新潟に向かっていた。異常事態に直面した大光相銀がこの先、どうなるのかを連載記事でまとめるべく、車中で原稿用紙に向かっていた。「大光相銀で何が起きているのか。すぐに書かなければと思った」と述懐する。

連載のタイトルは「どうなる大光相銀」。大蔵省は、駒形社長から大塚社長に交代した直後の79年1月に不正を把握していたこと。金融秩序の維持のため大蔵省・日銀が周到に公表のタイミングを練っていたこと、大光相銀の県外への拡張主義や不動産、レジャー関連への傾斜が問題の原因だったこと。そして、捜査機関による強制捜査や信用回復への厳しい道のりが今後待ち受けていることなどを4回にわたってまとめた。

県内では過去に例のない金融機関による粉飾行為に走った大光相銀。この銀行は、どのような金融機関だったのか。

クーデターと「伊号会議」

大光相銀は長岡市に本店を置く相互銀行だった。１９４２（昭和17）年に北越産業無尽（長岡市）と国民無尽商会（新発田市）が合併し、大光無尽が設立された。51年、中小企業金融の専門機関である相互銀行に転換して大光相銀に改称した。

無尽とは、庶民がお金を出し合い、資金が必要な人に融通する助け合いの制度だ。合併して誕生した無尽の商号である「大光」は、経文にある「広大な知慧《ちえ》で物事を観《み》る」「無垢清浄の光」から2文字を取った。「清らかな光で将来を見据え、地域経済発展のために社会の隅々まで明るく照らし出す」という思いを込めて命名されたという。

初代社長に就いたのは駒形十吉。北越産業無尽の創設者で、みそやしょうゆの醸造業を手がけていた駒形宇太七の弟だった。十吉は強力なリーダーシップで大光無尽、大光相銀を育て上げた最大の功労者。戦後、長岡商工会議所会頭を長らく務めたほか、関東地区相互銀行協会長など数多くの要職を歴任した県経済界の重鎮でもあった。

銀行内で絶大な権限を握っていた十吉に70年4月、突然転機が訪れた。部長や支店長らが連名で退陣を求めたのだった。〝クーデター〟の背後には女婿の駒形斉がいた。「親子間の深刻な対立」「十吉の行き過ぎたワンマンぶり」。さまざまな理由が取り沙汰された。退陣を余儀なくされた十吉は代表権のない会長に退き、斉が新たな社長に就任した。

駒形斉はなぜ強引な手段に出たのか。望月は「近代的な銀行を創りたかったのだろう」と話す。功労者であると同時に昔かたぎな面もあった十吉。「駒形斉は秀才で勉強家。真面目で理想家だった」と振り返る。

だが、十吉を放逐した以上、「何が何でも十吉には負けられない」といった気負いが常に先行したといわれる。「大光をより大きく発展させ、十吉を見返してやりたい」という焦りもあったようだ。この焦りが銀行を不祥事に走らせる要因になっていったという。

本紙は不祥事に至った経緯を、79年5月から6月にかけて連載「大光相銀　破綻の軌跡」（7回）で展開。〝政権奪取〟に成功した駒形斉が「業容拡大」を掲げて列島改造に乗っていった様子を描いた。

業容拡大のために取ったのが首都圏での不動産、レジャー関連融資の拡大で、債務保証も増えていった。しかも、それらは営業店の取引とは関係なく、経営上層部の指示で実行されていった。73年3月期には大光相銀の不動産、建設業、サービス業の不動産・レジャー関連への融資比率は実に融資全体の45％に達していた。

狂乱的な土地ブームは73年暮れのオイルショックで一気に冷え込んだ。大光相銀も決定的なダメージを受け、不動産融資は不良債権と化した。ところが、首脳陣はこれを隠し続けようと画策し、追加融資や簿外の債務保証を実行しては不良債権を雪だるま式に膨らませていったのだった。

不良債権の存在を隠し、どのような手法を用いれば処理を先送りできるかを話し合う首脳陣による会議は、旧日本海軍の潜水艦の名称にちなんで「伊号会議」との暗号名で呼ばれた。会議の存在が絶対に漏れてはならないとの意味が込められていたという。追加融資や簿外の債務保証は、通常の役員会ではない「伊号会議」で次々と決まっていった。

空前の捜査

乱脈融資が明るみに出る約半年前の1978（昭和53）年10月、国会で大光相銀が追及を受けた。参院大蔵委員会で社会党の和田静夫が、田中角栄元首相のファミリーの関連企業に同行が16億円を融資したと指摘。その後、回収不能になった債権を、休眠会社を使って回収したかのように偽装したのではないかと質問したのだった。

本紙は国会でのやりとりを10月18日の朝刊社会面トップで掲載。「明らかに粉飾決算だ」と追及する和田に対し、警察庁幹部は背任の疑いが強いと答弁し、大蔵省の幹部は「指摘した一部を認める」と発言した。大光相銀は「粉飾、背任とはとんでもない。事実無根である」と全面否定した。

国会での質疑を受け、経済事件や贈収賄事件など知能犯を担当する県警捜査2課はひそかに内偵に着手した。捜査2課次長だった原春樹は「雲をつかむような話ではあったが、5人ほどの態勢で内偵を始めた」と証言する。

そして翌年、大光相銀が740億円にのぼる簿外債務保証があることを発表。乱脈融資に対する捜査2課と新潟地検などによる本格的な捜査が始まった。79年6月には県警が特別捜査本部を設置。新潟中央署に拠点が置かれた。5人ほどだった捜査員は13人、53人、70人へと増え、県警史上例のない金融機関への大規模な捜査が繰り広げられた。

原は「県警がそれまで手掛けたことのない金融機関に対する捜査。捜査のやり方がいいのかどうか分からなかった。警視庁や検察庁などと協議しながら、必死に捜査に当たった」と振り返る。

金融機関による粉飾決算に対する捜査とあって、全国的な注目が集まり、報道各社は激しい取材競争を繰り広げた。東京発の情報に強い全国紙などが先行する展開となり、本紙は終始、苦戦を強いられた。報道部司法の新潟中央署担当として事件を追っていた小田敏三は「全国紙などは東京からの応援組も入り、日報はやられっぱなしだった」と振り返る。原も「新聞やテレビの報道は過熱していた。報道先行の中での捜査はやりにくく、『捜査妨害だ』と記者に食ってかかったこともあった」と述懐する。

県警は融資債務保証先企業の洗い出しと取引状況を丹念に調べ上げた。7人の班長の下に7、8人の捜査員を配置。金の流れを追うとともに行員ら関係者からの聴取を重ね、説明のつかない資金の流れを一つ一つ調べていった。捜査の最前線にいた班長は、県警内で「7人の侍」と呼ばれた。

7月8日の本紙朝刊には、県警などの捜査当局による資料収集がほぼ終了し、簿外債務保証の構図も明らかになったとの記事が、1面と社会面に大々的に掲載された。社会面には簿外債務保証先38社の名称と簿外保証額などが一目で分かる一覧表も載せた。捜査本部もこの頃、検察庁との合同会議で捜査方針を固めていた。原は「この事実でやれそうという話でまとまった。さらにしっかりと詰めようということになった」と話す。焦点は強制捜査がいつ着手されるかに移っていった。

「当初はセミが鳴く頃に着手といわれていたが、とっくに鳴くようになり、ついには夏が過ぎて鳴き終わってしまった」。小田は苦笑交じりに話す。セミがさかんに鳴いている真夏、捜査本部がある新潟中央署の講堂では厳しい暑さの中、捜査員たちがランニングシャツ姿で膨大な帳簿類などと格闘していた。

捜査本部が目指していたのは経営陣に対する商法の特別背任容疑での立件だった。同容疑での立件には、「図利《とり》加害目的」といわれる「自らの利益を図り、銀行に損害を与える意図」を証拠で明らかにする必要がある。これは非常に高いハードルだった。

Xデー

秋の気配が漂い始めた8月28日、警察庁は県警や警視庁などを集めて合同捜査会議を開いた。東京高検も同日、捜査会議を開いた。大光相銀に対する捜査は大詰めに向かって動きだした。

1週間後の9月5日、県警などは商法の特別背任容疑で強制捜査に乗り出し、大光相銀本店や

大勢の報道陣が待ち受ける中、新潟中央署に出頭する駒形斉・大光相互銀行元社長（1979年９月29日）

駒形斉元社長宅など42カ所を家宅捜索した。大きな節目を迎えた捜査。次の焦点は旧経営陣が逮捕される〝Xデー〟はいつか、だった。

Xデーを他紙に先駆けて報じるため小田はある捜査幹部への密着取材を続けていた。事件の本筋はなかなか聞き出せなかったが、捜査２課の刑事は企業のさまざまな情報に精通している民間信用調査機関に通い、会社の業績の変化や金の動きを調べていることなどを教えてもらった。「民間信用調査機関に取材して話を聞くと、捜査員の足跡が分かってきた」と小田。県警が狙っている事件の筋が徐々に見えてきたという。

取材競争が一段と激しさを増した9月、小田は1本のスクープを打った。「裏保証促すメモ見つかる　駒形元社長の直筆『特別背任』へ手がかり」の大見出しで、9月9日の朝刊1面準トップを飾った。メモは5日の家宅捜索で押収した資料から見つかり、元社長が簿外債務保証の実行を促していたことを示していた。特別背任容疑での立件に向けた重要な証拠を県警がつかんでいるという「新潟日報の乾坤一擲《けんこんいってき》のスクープ」（小田）だった。

県警本部内にある記者クラブに上がった小田は県警の刑事部長に呼び出され、「捜査妨害だ」と怒鳴りつけられた。記事の内容がそれだけ大きな意味を持っていたという何よりの証左だった。

そこから捜査は急ピッチで進んだ。「旧経営陣の逮捕は近い」。こう踏んだ小田は先述の捜査幹部宅への夜討ち朝駆け取材に一層力を入れた。捜査が大詰めを迎える中、幹部は自宅への取材は勘弁してほしいと頼み、その代わりに毎朝7時に電話をかけてくれれば、その日の逮捕があるかどうかを伝えると持ちかけた。幹部が「中央署に行く」と言えば、その日が逮捕――。2人の間で決めた暗号だった。

9月29日朝、いつものように電話を入れると、「中央署へ行く」との返事。小田は大急ぎで近くの公衆電話に走り、キャップに大声で伝えた。「きょう逮捕ですっ」

小田が取ってきた「きょう逮捕」の知らせは、旧経営陣の自宅などを24時間態勢で張り込んでいた本紙記者たちに直ちに伝えられた。自宅に加え、取り調べを受けそうな警察署、警察署に出頭する際に通るとみられる高速道路のインターチェンジなど、要所要所に多数の記者やカメラマンが配置された。本紙の総力を挙げた取材だった。

29日の本紙夕刊は1~3面で「駒形斉元社長　逮捕へ」を大展開。元社長が自宅を出てタクシーに乗り込む姿や、新潟中央署に出頭する様子などの記事を大きな写真とともに掲載した。

駒形元社長と元常務2人の計3人は同日午後、商法の特別背任の疑いで逮捕された。逮捕容疑は、3人は数回にわたって取引先に数億円を不正融資し、大光相銀に損害を与えたほか、元社長と元常務1人は別の取引先に十数回にわたって二十数億円を不正融資し、損害を与えた――との容疑だった。

30日の朝刊は1面や社会面をはじめ計5面を使って旧経営陣の逮捕を詳細に報道。解説記事では図利加害目的の立証がハードルとなるが、捜査当局は「証拠を固めた」と自信を示していることを伝えた。

事件を巡ってはさまざまな曲折もあった。とりわけ旧経営陣の一人でキーマンとされていた人物が6月に自殺したことは衝撃だった。別の幹部行員も元社長らの逮捕の直前に病死した。小田は振り返る。「大光相銀事件は単なる金融犯罪ではなく、亡くなった人まで出たドロドロした事件になっていった。何とも言いようのない思いで取材していた」

裁判

10月21日、県警や新潟地検などは駒形斉・元社長ら旧経営陣3人を商法の特別背任容疑で再逮捕した。再逮捕容疑は、三つの取引先グループに対して計約50億円を不正融資し、同行に損害を与えたというものだった。

事件の核心部分に触れる供述内容も徐々に明らかになってきた。駒形元社長は9月の逮捕後、一貫して「裏保証融資については私は知らない。すべて担当役員らが実行した」と自身の関与を否認していた。だが、10月24日の本紙朝刊社会面は「(赤字を計上すれば)私の経営者としての能力を問われ、社長の座を追われることになると思った。東証１部上場も廃止されるのは忍びなかった」と供述を始めたと報じた。

さらに、大光相銀への調査を進めていた大蔵省は10月31日、同行と駒形元社長を証券取引法違反容疑（虚偽記載）で県警に告発した。再逮捕容疑での勾留期限が迫る中、県警などは元社長と元常務１人を取引先２グループに対する約81億円の特別背任容疑で追送検。捜査は大詰めを迎えた。

県警史上空前となった大光相互銀行事件で、全容解明を目指しておびただしい数の資料の分析に当たる捜査員（1979年10月、新潟中央署）

11月１日、新潟地検は駒形元社長ら旧経営陣３人を商法の特別背任罪で、法人としての大光相銀と元社長を証券取引法違反罪と相互銀行法違反罪で一括起訴した。特別背任罪で起訴された額は実に計１４２億５６００万円に上った。地検は動機について「社長、あるいは取締役としての地位保全のため」と指摘。半年以上に及ぶ空前の大捜査は事実上、終了した。

起訴を受け、新潟地検は会見を開き、詐欺や業務上横領などについては「関連事件は浮かんでいない」と説明。融資先の共犯関係を問う質問には「正犯と同じく任務違背の意図が立証できないと難しい」などと述べた。

県警捜査２課次長だった原春樹は「遠くに自宅がある捜査員は独身寮に泊まり込みながら長期戦に臨んだ。倒れた捜査員が一人もおらず胸をなで下ろした」と振り返る。

起訴という大きな節目を迎えた大光相銀事件。ところが、翌日2日の本紙朝刊は2番手扱いの1面準トップで報じた。この日の1面トップを飾ったのは、10月の総選挙以来続いていた自民党の総裁選を巡る長期抗争の記事だった。長期抗争は連日大きく報じられていた。大光相銀事件を押しのけてトップとなった記事では、主流派と反主流派が両院議員総会で対決する最終局面を迎え、主流派が推す大平正芳候補と反主流陣営が立てる統一候補の福田赳夫候補が全面対決すると伝えた。

社会面トップも長期抗争の関連記事。自民党本部の両院議員総会の会場入り口で「ハマコー」こと浜田幸一衆院議員が大声を張り上げながら椅子や机でバリケードを築くという、今なお語り草となっている大騒動の様子が、鬼のような形相で周囲をにらみつける浜田の写真付きで掲載された。

1980(昭和55)年4月、大光相銀不正融資事件の公判が新潟地裁で始まった。罪状認否を持ち越すなど波乱の幕開けとなり、検察による冒頭陳述が行われたのは6月の第3回公判。3人が地位を守るため役員会にも通さず「伊号会議」で追加融資を続け、銀行に多額の損害を与えた経緯を明らかにした。

判決が出たのは事件発覚から5年後の84年5月。新潟地裁は元社長に懲役4年の実刑判決、元常務2人には執行猶予付きの有罪判決を言い渡した。その後、判決は確定。県内の犯罪史上前例のなかった金融機関による巨額不正融資事件は幕を閉じた。

再建、その後

旧経営陣による乱脈融資が行われた大光相銀。行員らは再建に向けていばらの道を歩くことになった。駒形斉・元社長ら旧経営陣3人が起訴された翌日の11月2日、同行の再建計画がまとまった。総額540億円の低利借り入れ、債務保証先の金利減免などの支援を受け、繰越欠損を10年で解消することが再建計画の骨子だった。

金利減免や再建資金の借り入れだけでなく、大光相銀の自己努力による収支改善策も当然、再建計画に盛り込まれた。具体的な収支改善策は①営業経費の削減②資産売却―の2本柱で構成された。①ではボーナスの4分の3をカット、賃上げゼロにより1人当たり年間給与を約24%減額。3年間、新規採用を停止。物件費は3年間、20%を削減。②では売却可能な有価証券のすべて、近現代の著名な作家たちの美術作品のすべて、売却可能な寮、社宅などの厚生施設の売却―という厳しい内容だった。

当時、大光相銀では多くの行員が将来を不安視していたが、会社を何とかしようと職場の士気は高かったという。行員らは取引先に通い詰め、預金の継続や取引の再開を求めて頭を下げ続けた。1980(昭和55)年4月には事件発覚以降続いていた預金の流出が止まり、資金量が増加

駒形斉さんと大光相銀

望月迪洋（元新潟日報記者）

駒形斉さんは保釈後、長岡市袋町の自宅で千代夫人と2人、隠者のように暮らした。結婚後の初めて訪れた静かな日々を黙想と写経ですごした。

千代夫人とのなれ初めには山本五十六が関係する。海軍省次官だった1939（昭和14）年4月、最後の帰郷講演で、岳父の駒形十吉、実父の藤間中佐の3人が顔を合わせ、斉と千代のことが話題になった。それを知る反町栄一の計らいで終戦後に2人は結ばれた。

特別背任罪に対して、斉さんは上告審まで抗戦した。裏保証による追加融資が「図利加害目的の自己保身」にあたるとの検察主張に激しく否認を貫いた。

強制捜査の4カ月前、袋町の自宅を訪ねた。しかし、夫を奥に隠し、不眠で目を真っ赤に腫らした千代夫人は玄関先で両膝を突き「どうか、お引き取りを」と硬い言葉だった。

大光相銀の不正融資を摘発した大蔵省銀行局は、79年5月の事件公表から取り付け騒動の抑止と、80年4月の大株主など計18銀行・生保による協調融資の発動に至るまで、計画を用意周到に練り上げた。

最終盤で融資の担保を、金融債から国債に急きょ変更したのは想定外なのか。その後に国債価格の暴落に遭遇、融資270億円のすべてを国債購入に振り替えたことで、年間20億円もの運用利ザヤが転がり込んだのだ。結局、220億円の繰越損失金は8年余でゼロとなり、大光相銀は再建された。まるで、手品のような目くらまし感を味わわされたのだった。

斉さんは中越地震のとき激震する自宅にとどまり「いつかは死ぬんだ」と逃げなかった。その年の暮れ、82歳で亡くなった。

に転じた。低利で借り入れた資金を国債などで運用するなどして利益を稼ぎ、82年3月期決算では事件後初の黒字を計上した。

88年9月には借入金540億円を返済し、大光相銀は計画より早く再建計画を完了した。翌年には普通銀行に転換し、現在の「大光銀行」となった。

折しも時代はバブル経済へ突入。大半の金融機関が不動産やレジャーなどへの融資を伸ばす中、大光銀は過去と同じ轍《てつ》を踏まず堅実経営に徹した。経営破綻する金融機関も少なくなかったが、同行は決して最終赤字を計上することはなかった。

大光相銀事件とはいったい何だったのか。事件が発覚した当時の本紙金融担当だった望月迪洋は、真面目で勉強家だと信じて疑わなかった駒形斉・元社長がなぜ、不良債権を膨らませていったのか得心がいかず、何度も本人に取材を試みた。だが元社長は事件について最後まで核心を語らないまま、2004（平成16）年12月9日、肺がんのため、長岡市内の自宅で死去した。82歳だった。「事件から40年が経過した今も疑問は残されたままだ」と望月は話す。

新潟中央署担当として事件を取材した小田敏三は「一連の取材を通して『取材は徹底的に行い、決して手を抜かない』ことをたたき込まれた」と語る。大光相銀取材の経験が、後に起きた「佐川急便事件」や「新潟中央銀行事件」など新潟日報の総力を挙げた取材に生かされたと強調する。

捜査2課次長だった原春樹は「大光相互銀行事件の捜査をやり遂げたことによって、新潟県警の捜査力は一段と高まった。その後も県内で大規模な経済事件があったが、県警としてしっかりと対応できた」と胸を張る。

大光相銀による乱脈融資が発覚してからちょうど40年後の2019（令和元）年、大光銀の人事が大きな話題となった。乱脈融資事件の発覚後、大蔵省（現財務省）出身者が5代続けて頭取を務めてきたが、生え抜きの石田幸雄が新頭取に昇格したのだ。

頭取が再び内部から就任するまで、40年という長い歳月を要した大光銀。頭取人事が内定した同年5月の記者会見で石田はかみしめるように語った。「生え抜きの就任は、事件が完全に払拭《ふっしょく》されたとの意味合いがある」。時代は昭和、平成を経て、令和になっていた。

第5章　新潟中央銀行破綻

バブル崩壊による金融破綻の波は新潟県にも押し寄せた。地場証券や信用組合に続き1999（平成11）年10月、県内地銀4行の一角である新潟中央銀行が破綻。経営再建を目指し3カ月半にわたり生死のはざまを行き来した末の結末だった。連鎖倒産が相次ぎ、従業員は職を失い、経営陣は特別背任の罪に問われた。県内経済に大きなダメージを与え、社会に衝撃を与えた未曽有の事態に記者は奔走した。

最終日の営業を終え、窓口のシャッターが閉じる新潟中央銀行本店
（2001年５月11日午後３時すぎ、新潟市上大川前通7）

死刑宣告

「株価急落の影響もあり、預金残高が減少して資金繰りが逼迫《ひっぱく》した」「増資計画を具体的に進展させることができなかった」

1999（平成11）年10月1日夕、新潟市の目抜き通り、柾谷小路に面した新潟中央銀行本店は重苦しい空気に包まれていた。記者会見した頭取・永村弘志は銀行の自力再建を断念し、金融再生委員会に破綻処理申請したことを公表した。

憔悴《しょうすい》しきった永村。居並ぶ役員も皆、沈痛の表情だった。不良債権の増大により、戦前の「無尽」に端を発する同行の経営破綻が確定した瞬間だった。

本紙はこの日の朝刊1面で「新潟中央銀破たん申請へ」「きょう取締役会で決定」と報じた。報道部経済担当を中心に取材を重ね、確実な裏付けに基づいた記事だった。

日本経済新聞をはじめ各メディアによる取材合戦が激化していた中での特報だったが、金融を担当していた相田晃は「胸をえぐられるような思いで、絶望感を抱きながら書いた原稿だった」と振り返る。

バブル崩壊で景気が低迷し、不良債権を抱えた金融機関の破綻が続出する時代だった。97年11月に北海道拓殖銀行と山一証券が相次いで倒れ、翌98年10月には日本長期信用銀行、同12月には日本債券信用銀行が経営破綻。

99年になって破綻の波は地銀にも広がり、新潟中銀に先だって国民銀行、幸福銀行、東京相和銀行、なみはや銀行が市場からの退場を余儀なくされていた。

背景にあったのは、日本版金融ビッグバンと呼ばれた金融制度改革だ。グローバル時代に対応しようと、政府は落ちこぼれがないようコントロールする「護送船団方式」といわれた金融行政を転換。銀行を破綻させない行政から、金融自由化に対応できない銀行は淘汰させる方針に百八十度転換した。

そうした流れの中で金融監督庁は新潟中銀に対し「早期是正措置」を発動した。破綻会見からさかのぼる6月11日のことだった。同行に対する検査の結果、自己資本比率が基準の4％を下回り、2・01％に落ち込んだためだった。

早期是正措置は金融改革の一環で導入され、銀行に経営改善を促す制度だったが、当時の環境では死刑宣告のようなものだった。

是正措置を受けて開いた記者会見で頭取の大森龍太郎は「破綻懸念企業について監督庁と見解の相違があった」と強調。取引先の協力を得て200億円の増資を行い、再建を目指す考えを表明した。

大森は「株主、預金者、取引先に多大な心配とご迷惑をおかけしたことを深くおわびします」と深々と頭を下げる一方、「進退は考えていない。本当の責任の取り方は結果を出すことだと思う」と語り、増資実現に向けて陣頭指揮を執る決意を示した。

会見でメモを取りながら経済担当キャップの服部誠司は「これから一体、何が起きるのだろう」と大きな不安に駆られた。

予感は的中する。この6月11日から破綻申請に至る10月1日までの113日間。新潟中銀を巡る動きは激しく局面を変え、記者たちも大きな奔流にのまれるように取材に駆け回った。

庶民の銀行

新潟中央銀行の源は「無尽」にある。無尽とは仲間同士でお金を出し合い、融通し合う庶民金融。1915（大正4）年に無尽業法で制度が整えられ、新潟中銀の源流となる大森無尽商行は20年に発足。長岡から新潟に移り、呉服卸問屋で成功した大森新太郎が設立した。

80（昭和55）年に本紙に連載された「越後の銀行家たち」では、若き新太郎の姿を紹介。「新太郎の商才は大したものである」「夜明けを待たず、二時、三時ごろからフロシキに反物を包み、また、荷車に積んでは売りに歩いた」と記している。

そんな新太郎が始めた大森無尽は商店主や個人向けの庶民金融として成長していったが、やがて太平洋戦争が勃発。戦時の金融統制によって全国で銀行、無尽の合併が進められ、大森無尽も近隣の無尽2社と合併。42年に新潟無尽が誕生する。

影響の大きさに衝撃

相田晃（論説編集委員）

1999（平成11）年10月1日の新潟中央銀行本店の光景は忘れることができない。

6月11日の早期是正措置以降、どんなネガティブな情報が出ても取り付け騒ぎのようなことは起こらなかったが、この日は次から次へと客が訪れた。「新潟中央銀破たん申請へ」の記事の影響の大きさ、銀行破綻の重みに、吐き気を催した。

金融破綻の時代。県内でも97年から越後証券、長岡信用組合、日新証券などが次々に姿を消し、新潟経済界のシンボルでもあった新潟証券取引所の閉鎖も決まっていた。

新潟中銀破綻の影響は大きく、融資先の連鎖倒産が相次ぎ、自殺の悲劇もあった。約1400人の行員は職を失った。

「この改革の痛みの先には明るい未来がある」。そう自分に言い聞かせ、やるせない思いを打ち消そうとした。

しかしあれから20年、明るい未来は来ているだろうか。

不良債権問題を解決させ、規模を大きくした銀行は今、どれだけ地域経済の振興に寄与しているだろう。

新潟中銀破綻後、県内外のテーマパークやゴルフ場に対するずさんな融資の実態が明らかになった。

経営に問題があるとして大蔵省から事前に決算内容などをチェックされる決算承認銀行に指定されていたことも判明した。

もしそれらがもっと早く報道されていれば、危うい融資が続くこともなく、破綻もなかったのではないか。おかしいと思ったことは取材し、批判すべきは批判する—。反省とともに胸に刻んだ教訓だ。

間もなく迎えた終戦。社会の混乱が収まらない51年、新たに相互銀行法が施行され、新潟無尽は新潟相互銀行として再出発することになる。54年には、新太郎の娘婿で元内務官僚の大森健治が社長に就任、新時代の荒波に立ち向かう。

新興勢力で他行が相手にしない五泉のニット業者に積極的に融資するなど、地場産業の育成にも尽力。県外進出も進め、60年の長野、64年の群馬に続き、66年には東京進出を果たした。東京支店は、就職情報誌を発行し後に「リクルート」となる新興企業と取引を始め、一時はメインバンクとなった。

高度経済成長、オイルショック、円高不況など、好不況の波に乗りながら、新潟相銀は無尽由来の庶民性や創業時からの堅実さで業容を拡大、躍進を続けた。

そして到来したバブル時代。元号が平成に変わり、平均株価が4万円に近づいた89年、同行は大きな転換期を迎える。

まず2月1日、相銀業界にとって悲願であった普通銀行への転換を果たす。名称も新潟相互銀行から新潟中央銀行に変更した。

本紙は、新潟市中心部の本店で華々しく行われた式典の様子を「誓い新たに普銀転換」と伝え、「新潟中央銀行」の銘板の除幕の写真とともに報じた。

同行が95年に発刊した「新潟中央銀行50年史」によると、行名は当初、「新潟銀行」とする方針だったが、地元の第四銀行、北越銀行から反対の意向が伝えられたため、大蔵省への申請期限ぎりぎりの休日に緊急常務会を開き、「中央」を加えた経緯がある。

その普銀転換から3カ月後の5月。79年からトップを務めた大森広作が会長に退き、大森龍太郎が頭取に就任する。

龍太郎は大森無尽の創業者新太郎の孫で、先々代健治の長男、先代広作のおいに当たる。旧制新潟高から東大法学部に進み、王子製紙に入社。36歳で家業の新潟相銀に迎えられた。長く東京に駐在し、東京の経済人との人脈を広げた。

頭取就任時は61歳。「バンカーらしくないバンカー」といわれた個性的な頭取が、銀行を大きく変えていく。

時代の寵児

大森龍太郎は「バンカーらしくないバンカー」を自任し、「バンカーというより事業家」と評された。モットーは「人が左を向いているときは右を見ろ」。業界でもいち早く電算化を手掛けるなど、アイデアマンで行動派ともいわれた。

普銀転換で新潟中央銀行になって間もない1989（平成元）年5月の頭取就任時に、本紙は大森を「強い個性の銀行家」と紹介。「ゴルフ界でも名の知られた一人で、特に『ケイマンゴルフ』を県内に普及させた功労者」と記している。

後に同行専務を務める立川満は「時代を先取りする、すごい人。人間的な魅力もあり、日本一の頭取になれる人だと思った」と回想する。

バブル景気の波にも乗り、大森は銀行を積極路線へと転換。同じ年に県知事に就任した金子清とともに環日本海交流にも力を入れた。「ソ連投資環境整備」の設立を牽引《けんいん》するなど、活躍は広く知れ渡り、「環日本海交流の旗手」ともいわれた。

環日本海交流に関する取材を重ねていた報道部の鈴木聖二は当時の大森を「やり手の銀行家。今の銀行のままでは生き延びることはできないと考え、新しい事業を探していた」と語る。

銀行だけでなく新潟県経済、日本経済を視野に入れる構想力の大きさや周囲に夢を与える言動で時代の寵児《ちょうじ》となった大森。その流れに乗って実行する融資が、破綻のきっかけとなっていく。大森が発案したといわれる新潟ロシア村。大森が新潟相銀副社長時代に主導した笹神ケイマンゴルフパークの隣接地に計画したテーマパーク・ロシア村は、当初は県が加わる第三セクターが主体となる構想だった。

しかし92年9月に金子が佐川急便事件で失脚、知事を退くと、三セク計画は宙に浮いた状態に。それでも大森は計画を進めようと20億円の融資を決める。

常務会で強く反対を訴えた立川は専務を解任され、ワンマン体制は強まる。行内の反対意見は封じられるようになり、さまざまな開発プロジェクトや融資案件を持ち込む「社外側近」が銀行に出入りするようになった。

報道部にいた岩本潔はその頃、ロシア村計画を直接、大森に取材している。「エネルギーに満ち、自信にあふれていた。ただ、計画の全容が何度聞いてもよく理解できなかった」。明確な計画がないまま事業が進んでいたことは、銀行の破綻後に知ることになる。

大森が主導するゴルフ場やテーマパークへの融資が次々に実行される。富士ガリバー王国、富士中央ゴルフ倶楽部、柏崎トルコ文化村、那須フレンドリーパーク…。実行した融資の多くは返済が滞り、不良債権となっていく。

「大森頭取はそうした問題をおくびにも出さず、いつも強気だった」。経済記者として当時金融を担当していた渡辺勇は振り返る。

しかし、破綻の足音は着実に近づいていた。

引責辞任へ

1997(平成9)年11月に北海道拓殖銀行と山一証券が経営破綻して以降、金融機関の破綻は加速した。県外のゴルフ場やテーマパーク向けに不良債権を多く抱える新潟中央銀行も注目され、経済誌の危険銀行リストなどにしばしば登場していた。

そうした中、同行は銀行業界があっと驚く一手を放つ。98年2月、自行と郵便局のATM(現金自動預払機)を相互に接続する方針を業界の先陣を切って打ち出すのだ。

全国の郵便局で銀行のキャッシュカードが使えるサービスは今では当たり前だが、当時の銀行業界は郵便貯金の肥大化反対を訴えており、郵便局との提携には否定的な意見が支配的だった。新潟中銀は当初こそ批判を浴びるが、やがてほとんどの銀行が追随する。

郵貯提携を公表した直後の本紙のインタビューで大森は「これからは先見性のある差別化政策を取れる銀行にならなければならない」と語っている。

早期是正措置を受けた２日後、日曜日に急きょ開いた記者会見で辞意を表明する大森龍太郎頭取（手前）（1999年６月13日）

インタビューをした経済担当キャップの神田敬輔は「前例にとらわれず、時代の先を読む大森頭取らしい決断だった。だが同時に、独断専行の危うさのようなものも感じた」と回想する。

同じインタビューで大森は、神田の不良債権に関する質問に対し、「不良債権比率が高い問題はある」と認めながら「不良債権発生率が高いということは、裏を返せばそれだけ社会的責任を果たしていることにもなる」と強調している。

そんな大森の強気を砕く金融監督庁の「早期是正措置」は99年6月11日に発動される。毎日新聞が前日10日の夕刊でスクープ。緊迫度が高まる中、11日午前に記者会見した大森に、経済担当の小林正史は「進退をどう考えるか」と迫った。

大森に経営責任を問うたわけだが、大森はこれを強く否定。「進退は考えていない。本当の責任の取り方は結果を出すことだと思う」と述べた。

それが一転するのはわずか2日後の日曜日。急きょ開いた記者会見で大森は辞意を表明するとともに、元専務の大竹多計二郎が後任の頭取に就くと発表した。

小林は「大森家によるオーナー経営が続く中で、ワンマンといわれた大森龍太郎頭取の辞任は当然」と受け止めるとともに、「なぜたった2日で方針が変わるのか」と疑念を抱いた。

辞意表明の背景には、支店長をはじめ行内から辞任を求める声が噴出し、取引先からも厳しい意見が寄せられたことがあった。

本紙は翌日が休刊日で新聞製作を休んでいたため、号外を発行して大森の引責辞任を伝えた。大森の辞意表明は全行を結束させる効果をもたらした。経営再建に必要な200億円の増資実現に向けて営業店が活発に動き、取引先による「支援する会」が五泉など県内各地で発足。「銀行を救え」という動きは広がり、新津市（現新潟市秋葉区）や鹿瀬町（現阿賀町）など自治体にも増資に協力する動きが広がる。

だが、銀行中枢はその後も曲折する。増資実現に奔走していた大竹が8月に入ってすぐ、頭取就任を辞退。代わって専務の永村弘志が頭取に就くことになった。

ナンバー2とはいえ、大森とは必ずしも近いとはいえなかった永村。破綻すれば刑事罰をも問われかねない困難な局面だったが、他の役員たちに推され、「逃げるわけにはいかない」と覚悟を決めた。

最悪の結末

新潟中央銀行が早期是正措置を受けた1999（平成11）年6月11日以降、株価の下落や預金の流出は比較的緩やかだった。経営再建を目指し、増資に協力しようという動きが広がったことが大きかった。

それまでの大都市の銀行は、是正措置発動から程なくして破綻していた。金融当局者の間では「大都市と地方は違う」「市場原理だけでは計りきれない」との見方が広まった。

新潟中銀の増資引受先は自治体を含め1万2千以上に上った。同行が地域に必要な銀行であることの証左ともいえた。

だが、共同通信に出向し、金融監督庁や大蔵省を取材していた高橋淳は「再建は厳しいのではないか」とみていた。監督庁が〝標的〟にしたのはいずれも、新潟中銀と同じオーナー家のワンマン経営の地銀だったからだ。

事態は9月半ばに急展開する。

新潟中銀は13日、英会話教室運営の「NOVA」が大口の増資引受先になったと発表。再建の可能性が高まったが、当のNOVAはすぐに「事実誤認」とこれを否定したのだ。混迷が深まる中、同行は20日、200億円の増資計画をいったん中止し、下期に改めて350億円の増資を行うと発表した。

ここに至って市場は大きく反応する。失望感から同行株は売り込まれ、株価はついに額面の50円を割り、預金の流出も加速した。

昼夜休日を問わず取材に駆け回り、「破綻が決まった」とのガセ（偽）情報に何度も振り回されてきた経済担当記者の緊張も高まった。

深刻な局面で、記事もより一層の正確さ、慎重さを求められた。金融を担当する相田晃は「間違った記事が破綻のきっかけになってはならない。より確実な裏取りと慎重な書きぶりが求められた」と振り返る。

仮に増資を実行した後に破綻すれば、増資に応じてくれた企業や個人の株は紙切れになる。それだけは絶対に避けなければならないというのが、頭取の永村弘志をはじめ役職員の一致した考えだった。200億円の増資で膨大な不良債権を処理しきれないということも役員の多くは感じていた。

突然の増資計画中止は、これ以上顧客に迷惑をかけられないというバンカーとしての良心に基づいた判断だった。「破綻やむなし」の判断が徐々に固まっていった。

預金流出で資金繰りが苦しくなる中、企業の決済が集中する月末の30日の営業を乗り越えた。その日夕刻、経済担当は情報をつかむ。「あすの破綻申請は間違いない」

社内の協議を経て、翌日の朝刊に打つことが決まった。見出しは「新潟中央銀破たん申請へ」「きょう取締役会で決定」。4カ月近くにわたる厳しい取材の結末は、最悪の事態だった。経済担当の記者は皆、暗たんたる思いにとらわれた。

他紙に先駆けた記事の通り新潟中銀は10月1日、金融再生委員会に破綻処理を申請する。記者会見で頭取の永村は「あまりに多い不良債権の実態が認められ、困惑の日々だった」「これだけの不良債権をつくったことは慚愧《ざんき》に堪えず、残念だ」と語った。

重苦しい記者会見。経済担当キャップの服部誠司は「われわれが取材してきた行員や取引先はこれからどうなるのだろうか」と先行きを懸念した。

新潟中銀の破綻、その第2ラウンドが始まった。

特別背任容疑で新潟中央銀行本店の家宅捜索に入る県警捜査員。先頭は野川明輝・県警捜査2課長（右）（2001年1月18日）

大規模捜査

強い季節風に見舞われる冬の新潟市では珍しく、その日は雪がしんしんと降り積もっていた。2001（平成13）年1月18日朝。県警は、経営破綻した新潟中央銀行の元頭取、大森龍太郎ら旧経営陣が回収の見込みのない融資を繰り返して同行に損害を与えた疑いが強まったとして、商法の特別背任容疑で、新潟市の同行本店など県内外の関係先約40カ所で家宅捜索に着手した。動員された捜査員は県警単独では過去最大の約150人に上った。経営破綻から1年3カ月余りを経て、旧経営陣に対する刑事責任の追及が本格化した。

県警が特別背任容疑で強制捜査に乗り出したのは、1979（昭和54）年の大光相互銀行（当時）の乱脈融資事件以来22年ぶりのことだった。家宅捜索先は本県や東京都、山梨県など1都5県という広範囲に及び、県警にとって史上最大規模の経済事件となった。

本紙は、家宅捜索を翌週に控えた1月13日の朝刊1面トップで「新潟中央銀　来週にも強制捜査」「県警　特別背任容疑で」とスクープした。捜査2課が扱う事件で強制捜査の着手の抜きダネをつかむのは容易ではない。大型経済事件であれば、なおさらだ。本社報道部の司法・警察担当キャップだった三島亮はこう明かす。「その記事を書いた時は既に、18日の着手日と家宅捜索先の詳細な情報を入手していた。もっと近いタイミングで出すことも考えたが、取材合戦が激しくなっている中で、どうしても抜きたかった」

三島はキャップに就く前から報道部内で新潟中央銀行の不正融資問題に関わっていた。ともに取材を積み重ねていた遊軍の岩本潔は、家宅捜索の情報を三島から聞かされた時のことを今も覚えている。「数の多さに驚いた。それまでの取材で把握できていないところもあった。いよいよだ、と緊張感が一気に高まった」

家宅捜索の当日、本紙は号外を発行した。新潟市上大川前通7の本店に捜査員たちが入ったのは午前9時前。雪が降りしきる中、その先頭に捜査2課長の野川明輝の姿があった。捜査2課長が家宅捜索現場に出向くのは異例だ。旧経営陣の刑事責任の立件に向けて並々ならぬ意気込みを感じさせた。一方で、県警内部では厳しい声もあった。ある幹部は「課長たる者、本部で指揮を執るのが本来の役割だ」と苦言を呈した。ただ、別の幹部は「全国注視の事件。ここまで来るのに長期間かかった。各署から大勢の応援をもらっていた。課長自らが先頭に立つことで、士気を上げようと思ったのではないか」と語った。

本店の家宅捜索は、捜査員約60人を投入して翌19日午前0時すぎまで15時間にわたった。県内外の約40カ所で押収した資料は融資関係書類など約1万数千点に上った。

捜索の重点が置かれたのが、多額の資金が投入された山梨県上九一色村のレジャー施設関連先だった。ゴルフ場「富士中央ゴルフ倶楽部」とテーマパーク「富士ガリバー王国」、「本栖高原ホテル」が核となっており、全体で新潟中央銀行から約360億円の融資が行われていた。バブル崩壊後、時代の流れにあらがってまで大森が進めた「頭取案件」の中でも最大級のプロジェクトだ。ゴルフ倶楽部前に夜明け前から張り込んだ岩本は「現場の気温は氷点下15度まで下がり、とにかく寒かった。今か今かと捜査員が来るのを待っていたが、結局、ゴルフ倶楽部の捜索が始まったのは夕方だった。現場はかつてオウム真理教の施設があったところで、交通の便も悪い。リゾート開発には向かない土地だと思った」と振り返る。

大森が主導した「頭取案件」はゴルフ場やテーマパークを中心に北海道から九州まで全国規模

で展開されていた。全体の融資残高は2千億円を超えていた。県警は、この中から背任性が高く、公訴時効にかからない融資案件に絞り込んで捜査のメスを入れたのだった。

富士山麓

本紙は1月19日朝刊1面トップで捜査の核心部分に迫るさらなるスクープを放つ。見出しは「30億円不正融資に焦点」「新潟中銀事件で県警」。

焦点の30億円の融資とは、富士中央ゴルフ倶楽部を事実上運営するゴルフ会員権販売会社「富士ゴルフリゾートクラブ」(東京)へのものだった。1998(平成10)年から99年にかけて数回に分けて実行されていた。ゴルフ場はバブル崩壊のあおりで会員権販売の不振が続き、厳しい経営状況に陥っていた。ゴルフ場の延命を図るため、新潟中央銀行が回収の見込みがない不正な追加融資を行った疑いが強まっていたのだ。県警が2001年2月7日、大森ら旧経営陣4人を逮捕したのも、この融資を巡る特別背任容疑だった。

新潟から遠く離れた富士山の麓になぜ、新潟中央銀行から多額の資金が投入されたのか。このゴルフ場は、もともとは86(昭和61)年に都内の不動産会社「愛時資」が開発を計画したものだ。同社のほか、千代田生命や東海銀行、JR東海などが出資していた。1口5千万円で約500口の会員を集めた。だが、会員の解約が相次ぐなどして資金繰りに行き詰まり、92年に工事が中断した。支援に乗り出したのが新潟中央銀行だった。工事の中止に困った会員の一人が知人を介して大森に相談したのがきっかけだったとされる。

東海銀などが撤退したゴルフ場を新潟県の第二地銀が支援するというニュースは関係者を驚かせたという。バブル崩壊によって会員権相場は暴落し、ゴルフ場は冬の時代を迎えていたからだ。新潟中央銀行内には反対の意見もあったが、計画は進められた。同行の支援を受けて93年、ゴルフ場の受け皿会社となる「ゴールデンリングクラブ」（後の富士ゴルフリゾートクラブ）が設立され、開発が再開。95年に富士中央ゴルフ倶楽部がオープンする。

新潟中央銀行の融資で開園、運営されたテーマパーク「富士ガリバー王国」。多額の融資は返済されず、不良債権となった（1999年11月、山梨県上九一色村）

このゴルフ場は富士山を真正面に臨み、葛飾北斎の「富嶽三十六景」をモチーフに設計された美しいコースが自慢だった。標高１２００メートルにあり、真夏でも涼しい環境でプレーが楽しめる半面、冷え込みが厳しい冬は閉鎖される日が多かった。再建にかかった費用は約１００億円で、フル稼働しても採算がとれない状態だったという。当初の半額（1口２５００万円）で売り出した会員権の販売不振も追い打ちをかけた。97年7月には隣接地にテーマパーク「富士ガリバー王国」がオープンした。目玉は、地面に横たわる体長45メートルの巨大ガリバー像。全国のテーマパークが苦戦を強いられていた時期だった。入場者は、開園2年目以降は伸び悩み、ゴルフ場との相乗効果を見込んだもくろみは外れ、富士山麓でのプロジェクトは泥沼にはまっていく。

大森は当時、「ゴルフ場は苦労する割には事業としてのうまみが少ない」と分析し、「隣にテーマパークをつくって、そこの日銭でゴルフ場の金利をカバーすればゴルフ場を会員制ではないパブリック（一般向け）にしてもうけられる」と話していた。しかし、現実は違った。時代に逆らって県外で大型開発にのめり込んだ結果、多額の不良債権に縛られた地銀トップの姿とガリバー像が重なって見えた。岩本は「ゴルフ場の不振をテーマパークでカバーするという発想は、県内の新潟ロシア村や柏崎トルコ文化村も同じだった。損失を隠そうと融資を続けたことが、傷口を広げる結果になった」と話した。

県警が刑事責任を追及するためひそかに動きだしたのは99年6月、新潟中央銀行が金融監督庁から早期是正措置を発動された頃だった。捜査は予想を超える長期戦となる。

捜査の長期化

「新潟中央銀行が破綻するのではないか」。早期是正措置の発動を受け、地元でもそんなうわさがあちこちで流れ始めた。県警捜査2課の捜査員が既に動いていた。銀行の退職者や関係者に接触し、情報収集を開始したのだ。ただ、こうした動きが外部に漏れれば破綻の引き金にもなりかねない。ごく少人数での内偵捜査が続いた。

公的資金を投入する金融機関の破綻処理のスキームは、経営陣の責任追及とセットになっていた。１９９７（平成９）年以降、北海道拓殖銀行や山一証券、日本長期信用銀行などの経営破綻が続き、99年には国民銀行や幸福銀行など地方銀行にも破綻の荒波が押し寄せていた。各地で刑事責任を追及する捜査が行われた。

県警は、警察庁など関係機関と連携しながら準備を進めた。新潟中央銀行の破綻前の99年９月ごろには、北海道へ捜査員を送り、拓銀の捜査状況などを視察した。経済事件では、帳簿読みをはじめ、税理士や公認会計士らの専門スキルが欠かせない。県警は、関東圏の警察から財務捜査官の応援を得た。10月１日の経営破綻を機に、捜査態勢が徐々に整えられていった。早い段階から検察庁や預金保険機構とも連絡を取り合った。

新潟中央銀行の捜査は捜査２課が胴元となり、仕切ることになった。最初は十数人で始めたが、稟議《りんぎ》書など関係書類、伝票などを全て調べなければならず、各署から応援をもらって11月下旬には１００人ほどの態勢に増強された。その拠点となったのは、銀行本店のある地域を管轄する新潟中央署だ。「審査書類だけでも膨大な量で、道場を使うことになった。コピーするにも何カ月もかかった」と県警ＯＢ。11月下旬には、当時の県警本部長・小林幸二や警察庁の捜査２課長が道場に督励に訪れたという。12月には、大阪府警に捜査員を送り、幸福銀行の捜査状況を聞いた。

この時期には、新潟中央銀行関係者への任意での事情聴取を始めていた。「これは頭取の犯罪だ、背任だとの心証を持っていた」と当時の捜査幹部。問題は、それを刑事事件としていかに立件するかだ。膨大な資料を分析しながら、「頭取案件」を整理して金の流れを解明していった。

捜査2課が調べの対象としてチャートにして整理した融資先は約130社、融資残高は約2300億円に上った。その大半が不良債権化し、回収困難となっていた。「富士グループ」「産廃」「不動産開発」…。関係先をグループ化し、それぞれの財務状況を要注意先、破綻懸念先、破綻先などに分類していた。次第に、存続が危ぶまれる会社を救うため関連会社をつくり、そこを迂回《うかい》して融資を行っていた構図が浮かび上がってきた。先の捜査幹部は「これはいくつかの融資先のふたを開けて終わりというわけにはいかない。全てのふたを開けて調べるしかない。ものすごい捜査力が必要になった」と振り返る。

捜査が長期化した理由は、ほかにもある。県警が不祥事に見舞われたのだ。2000年1月28日、三条市で行方不明になっていた女性が保護され、9年2カ月にわたって柏崎市の民家に監禁されていたという衝撃的な事件が発覚した。県警本部長の小林はその報告を受けた後も本部に戻らず、この日に県警の特別監察に来ていた関東管区警察局長を三川村（現阿賀町）の温泉施設で「マージャン接待」していたことも判明した。監禁事件を巡る県警の不手際が次々と明るみに出る。さらに警察官による交通違反もみ消し事件が3月に発覚。捜査2課の人手を割かざるを得なくなったのだ。

特別背任

県警不祥事の嵐が吹き荒れた2000（平成12）年は、記憶に残る事件や事故が起きた。5月には、六日町のトンネル内で少年の焼殺事件が起きた。6月には、JA湯沢町の不正融資事件が保険金殺人事件に発展。さらに浅草岳で行方不明になった山菜採りの救助に向かった地元ガイドや警察官、消防署員がブロック雪崩に襲われ、4人が死亡する二次遭難が発生した。全国で相次いだ警察不祥事を受けて設置された警察刷新会議の公聴会が新潟市でも開催された。刷新会議の緊急提言による県警の組織改革も行われた。キャップだった三島は「新たな事態が次々と起きたジェットコースターのような年だった。息をつく暇もなかった」と語る。

本題の新潟中央銀行の捜査に戻る。県警は当初から商法（現在は会社法に規定）の特別背任容疑での立件を目指していた。特別背任罪の構成要件は①図利・加害目的②任務違背③損害の3点だ。罰則は刑法の背任罪よりも重い。取締役や監査役など会社で特定の地位にある人が、自分や第三者の利益を図ったり、会社への損害を目的にしたりして、任務に背いて会社に財産上の損害を与えたことの立証が求められる。同種事件では、容疑者が「銀行のためにやった」「会社のためにやった」などと主張するケースが多い。そのため公判で十分に耐えられる客観的な裏付けができるかどうかがポイントだ。

県警は2000年秋までには基礎捜査をほぼ終え、年末に向けて、問題のある融資のうち特に背任性の高い数件に絞り込んでの検討に入っていた。その核心が、大森が主導して開発した富士中央ゴルフ倶楽部を巡る30億円の不正融資だった。ゴルフ倶楽部を事実上運営するゴルフ会員権販売会社「富士ゴルフリゾートクラブ」を迂回《うかい》する形で1998年から99年にかけて数回に分けて実行されていた。

地道な捜査により、両社とも大森の実質的支配下にあること、大森が富士ゴルフリゾートクラブの設立発起人になり、自ら他人名義を用いて同社の株式の約7割を所有していることなどをつかんだ。一部の融資は早期是正措置の発動後に実行されていた。大森が陣頭指揮を執って始めたゴルフ場が倒産すれば自らの経営責任を追及されるのは必至で、その事態を回避するため、両社には債務返済能力や担保余力がなく、貸付金の回収が困難なことを知りながら融資したとして、任務違背と図利・加害目的を立証する見通しが立った。融資の全額が回収不能であり、損害は明らかだった。

本紙が他社に先駆けて「30億円不正融資に焦点」を報じることができたのは、現場のチーム力の成果といえる。中核となったのは報道部の相田晃、岩本潔、諏訪敬明、三島の4人だ。「部内の担当が替わっても、それぞれが新潟中央銀行関連の取材に軸足を置き、情報交換を密にしていた」と諏訪。金融担当として経営破綻を追った相田は遊軍に移って銀行関係者らにアプローチを続けていた。「銀行を去った経営陣は強制捜査におびえ、残された行員は将来を悲観していた。連鎖倒産に追い込まれた取引先が相次いだ。話を聞くたび、切なさがこみ上げた。銀行がなくなる影響の大きさを実感していた」と思い起こす。

県警は2000年11月、大森ら旧経営陣に対する任意での事情聴取を始めた。新潟中央署を拠点にした専従捜査班は約130人に増強されていた。長期にわたって捜査関係者への「夜討ち」「朝駆け」を積み重ねてきた事件記者たちの緊張感も高まっていた。

年明けの2001年1月上旬、その後の強制捜査に関わる重要な段取りが秘かに固められた。「18日に家宅捜索、29日の週に強制捜査（逮捕）実施」。家宅捜索をスクープした本紙の取材は、旧経営陣の逮捕「Xデー」に向けて最大のヤマ場を迎えていた。

Xデーの攻防

「大森元頭取きょうにも逮捕」「特別背任の疑い」「県警　旧経営陣数人も」

2001（平成13）年1月29日の本紙朝刊1面トップに横カットと見出しが並んだ。新潟中央銀行の不正融資事件で、旧経営陣が、都内のゴルフ会員権販売会社（富士ゴルフリゾートクラブ）に多額の不正融資を行った疑いが強まったとして、県警は早ければ29日にも、商法の特別背任容疑で大森元頭取ら旧経営陣数人を逮捕する方針を固めたという内容の記事だった。だが、実際の逮捕は9日後の2月7日となった。

キャリア官僚が見せた人間味

五十嵐義宏（報道部）

目立たないように車のエンジンを切って捜査幹部の帰宅を待つ。大森龍太郎元頭取が逮捕された２００１年冬は「夜討ち朝駆け」に明け暮れたせいか、寒かったという印象が強い。

私が担当したのは、捜査の現場を仕切る野川明輝・県警捜査2課長。警察庁から出向したキャリアで当時30歳の私よりも年下だった。

夜回りでは何を聞いても「そうなんですか？」「聞いていません」「分かりません」などと言質を取らせないようにしていた。

そんな野川氏とのやりとりを記したメモ帳を、事件から20年近くたって読み返してみた。目を引いたのは同年2月5日の記述だった。

帰宅する際、いつもは捜査員の車で官舎まで送ってもらう野川氏はこの日、午後11時すぎに珍しくタクシーで帰ってきた。お酒はあまり好きではないと聞いていたが、アルコールのにおいがした。

記者「飲んできたんですか」

野川氏「私もいろいろありますから。（天候が）暖かくなってきましたね」

記者「飲んできたからそう感じるのでしょう」

野川氏「私だけか」

捜査が大詰めを迎えてから雑談にもほとんど応じなかった野川氏だが、この日は違った。目覚まし時計をセットし忘れて朝起きられず、遅刻して課員に謝ったことまで話していた。

実は、大森元頭取を逮捕する「Xデー」が最終的に2月7日と決まったのが、この5日だった。

新潟中央銀行の経営危機が表面化した１９９９年6月から５００日余りを費やした捜査の大きな節目が、ようやく見えた安堵《あんど》感が、野川氏にもあったのだろう。キャリア官僚が、思わず人間味を見せた数少ない場面でもあった。

掲載前日の28日深夜、新潟市役所近くの取材拠点であった新潟事務所、通称「足場」。夜回りを終えた司法・警察担当記者3人が集まっていた。キャップの三島、サブの五十嵐義宏、前田有樹だ。その日昼すぎの段階で、29日朝刊に「きょうにも逮捕」を出す方向で一致していた。デスクの渡辺隆を含め、それを最終的に詰める場だった。

強制捜査とりわけ身柄を拘束する逮捕に関しては、確実な情報を得た上で捜査幹部にぶつけても「その通り」などと認めてくれることはあり得ない。夜討ち朝駆けを積み重ね、相手の反応を見ながら事態の変化を見極めねばならない。

この当時、家宅捜索の動きや捜査の核心に迫る報道が相次いだことで、県警幹部の口は以前にも増して固くなっていた。検察サイドも情報漏れを警戒していた。「新潟日報に確認を取らせるな」。こんな指示が飛んだとのうわさも流れた。

「きょうにも逮捕」記事を出す前日、28日の取材結果の一部はこんな内容だった。「夜回り先の県警幹部が『おたくの判断、見識に任せます』と答えた」と五十嵐。新潟地検を担当した前田も、関係者から「そちらの判断で報道するなら好きにすればいい」と言われたことを覚えている。普段なら違う場合は「やめた方がいい」などと言ってくれる相手も、この頃は、言質を取られないようかたくなな対応に徹していた。

逮捕を予告する記事はもちろん確かな筋の情報を得てのもので、三島は自信を持っていた。だが、不安が一切なかったと言えば嘘になるだろう。それぞれの夜回り結果を検討して記事は予定通り出すことにした。ただ、原稿の「29日にも」の前に「早ければ」を入れた。渡辺の案だった。帰宅が最も遅かった関係者の一人が「(29日逮捕予定を)聞いていない」と言ったからだ。「現場を信じていた。ただ、相手(県警)のことも考え、慎重を期した」と渡辺。翌日の朝刊を印刷する輪転機が回り始めた。もう後戻りはできなかった。

本紙は当時、号外発行を含め逮捕時の対応に備えて社内連絡網をつくり、臨戦態勢に入っていた。29日は早朝から本社や足場、そして東京支社に記者が詰めていた。号外対応のため、編集局のほか販売局や総務局の担当者も待機していた。「逮捕」の一報を待っていた。三島は、足場に上がる前に刑事部長・布川広紀の官舎へ向かった。嫌な予感がしていた。その日の逮捕に否定的な情報が未明に飛び込んできたからだ。

当時の刑事部長官舎は県立がんセンター近くにあった。まだ早朝にもかかわらず、布川は起きていた。共同通信社も「きょうにも逮捕」を未明に配信し、各社の記者が駆けつけ、一睡もできなかったという。

2人になった後、布川から告げられた言葉を三島はよく覚えている。「あんたには言う。きょうは(逮捕は)ないよ」。前夜、布川らに真剣勝負で当たって大丈夫だと思っていた。生涯忘れられない痛恨の出来事だった。

あれから18年余り。布川は当時のやりとりを覚えていないという。三島は取材メモを整理しながら話した。「キャップだった私の力不足に尽きる。その思いは今も変わらない」

頭取逮捕

県警は2001（平成13）年2月7日、新潟中央銀行の元頭取の大森、前頭取の永村弘志ら旧経営陣4人を特別背任容疑で逮捕した。逮捕容疑は、ゴルフ会員権販売会社「富士ゴルフリゾートクラブ」に、回収の見込みがないにもかかわらず約30億円を不正融資した疑いだった。大森が関わった「富士中央ゴルフ倶楽部」を救済するための迂回融資とみていた。

新潟地検が最終的に起訴したのは、富士ゴルフリゾートへの約15億円と、関連2社への12億円、富士中央ゴルフ倶楽部への約3億円の計30億円。ゴルフ倶楽部は既に限度額いっぱいの融資を受けており、同社への迂回融資の一部を返済資金に充て貸付金残高を減額させ、再び限度額までの融資を受けていた。大森と共に逮捕された元専務と前取締役東京支店長は「従属的立場にあった」として起訴猶予となった。

大森は新潟地裁での一審で「特別背任罪に当たる行為は一切していないし、その意図もなかった」と無罪を主張したが退けられ、03年3月に懲役3年の実刑判決を受けた。これを不服として即日控訴した。控訴審では「私の考えが甘く、（銀行の）破綻を招いた」と述べ、主張を一転させて起訴事実を認めた。東京高裁は04年6月末、一審新潟地裁判決を破棄し、懲役2年2月の実刑判決を言い渡した。係争中だった民事訴訟の和解などの情状を酌んで減刑したが、量刑以外の事実関係などは一審判決を追認した。刑事責任はなお重いとして、執行猶予を求めた弁護側の主張を退けた。大森は「みそぎをするべきだと思う」として上告をせず、7月に刑が確定して収監された。同年11月末、刑期を務め終える前に病死した。76歳だった。

県警捜査2課知能犯捜査官として現場指揮を執った小船井勇一は、新潟中央署の捜査拠点に約500日間陣取った。「特定のルートだけ解明してやろうとしたらたぶん失敗していただろう。120余りの与信先のふたを全部開けて金の流れを追いかけたから、公判の途中で崩れることがなかった」と振り返り、こう付け加えた。「監禁事件や交通違反もみ消し事件もあって大変だったが、新潟県警の底力を見せることができた」

破綻から20年。いま新潟県内では第四銀行と北越銀行が経営統合し、人口減少社会に対応した新たな地域金融体制ができつつある。

新潟中銀は2001年5月11日に営業を終了し、大光銀行を中心に分割譲渡された。約1400人いた行員は大光銀をはじめ県内外の企業などに再就職した。その多くは大きな戦力となり、社長や役員になった者も少なくない。

営業終了日を本店営業部副部長で迎え、今は新潟市中央区にある会社の役員を務める高橋秀之もその一人。多くの元行員の声を代弁するように語る。

「行員は皆、銀行破綻という修羅場をくぐり抜けた経験と、銀行で身に付けた知識や人脈を生かし、さまざまな場所で活躍している。あの頃お世話になったお客さまに恩返ししたいという気持

忘れられない人々

三島亮（総務局長）

新潟中央銀行の事件は、30歳代初めの私にとって大きな糧となった。ピンチの時も多くの人に支えられた。あらためて感謝したい。

取材した融資先は、個性的な人が少なくなかった。古町で飲食店を営み、レジャー施設の運営に加わっていた男性は、お世話になった一人だ。大柄で押し出しが強い半面、繊細で優しいところがあった。事情通で古町にも詳しかった。

最初は相手にしてくれなかったが、旧知だった小田敏三・報道部第2部長（当時）が口添えしてくれ、話を聞かせてもらえるようになった。担当を離れた後も声をかけてくれた。数年前、肺がんの闘病中に見舞ったのが最後となった。

逮捕日の予測を打ち損じ大勢に迷惑をかけたことは、今も申し訳ないと思う。記事が掲載された2001年1月29日。私は警察など関係先へのおわびに追われた。どん底だった。そんな時にかけてもらった言葉が忘れられない。

県警2階から県庁につながる通路を歩いていると、知り合いの県警幹部の大きなだみ声が後ろから響いた。「キャップ、負けるなよ」

胸にぐっときた。あの頃は、懐の深い警察幹部が少なからずいた。

当時の取材先で強く印象に残っているのは、都内でコンサルタント業を営んでいた男性だ。大森元頭取ゆかりの銀座のクラブやバーを教えてくれた。何度か会った後、連絡が取れなくなった。

数年後の2004年春、東京支社に異動し、控訴審も取材した。その年の11月30日夕。匿名の男性から、大森元頭取が亡くなったことを知らせる電話が本社にあった。「以前、取材で会ったあいつに教えてやってくれ、と。お前のことだろう」。電話を受けたデスクからそう言われたのを覚えている。

ちを誰もが抱き、新潟中央銀行の元行員としての誇りを胸に生きている」

最後の頭取を39日間だけ務めたことで特別背任の有罪判決を受けた永村は今、病と闘いながら東京で暮らす。今回の取材の依頼に対し、「みんなが幸せに暮らしてくれていることを心から願っている」とコメントを寄せた。

第6章　柏崎女性長期監禁事件

　2000（平成12）年1月、一人の女性が柏崎市の住宅で保護された。9年2カ月前、三条市で行方不明になった少女の名を名乗った。犯罪史上まれな長期監禁事件が明るみに出た瞬間だった。同じ日、県警トップの本部長は監察相手の上官と雪見酒に興じていた。そして保護時の県警の不手際を巡る「虚偽」発表や、失踪当時の初動捜査のミスが次々と明らかになっていく。なぜ何年も女性を見つけられなかったのか——。本紙取材班の執念が県警の「伏魔殿」を開けた。一連の県警不祥事は、本部長の辞職という極めて異例の事態に発展。新潟日報社と県警という「組織対組織の闘い」と書き残された取材メモから、緊迫した日々を解き明かす。

事件現場となった男の家。女性は2階の1室に9年2カ月も監禁されていた（2000年1月29日、柏崎市）

発見、保護

2000（平成12）年1月28日午前、新潟市中央区新光町の県警本部は静かだった。前年は新潟市の毒物混入事件の容疑者逮捕など大きな事件が続き、年末には上越市の金融業者に対する強盗殺人・死体遺棄事件で海外逃亡した元白根市議を逮捕。10日ほど前に起訴され、平穏を取り戻していた。

報道部司法担当サブキャップの後藤貴宏が2階の刑事部長室で部長の百田春夫と向き合うのも、久しぶりだった。百田は警察庁から出向してきた「準キャリア」。準キャリアとは国家公務員2種試験合格者を指す。ちなみに警察組織のトップに立つ「キャリア」は同1種試験合格者たちだ。

地元生え抜き刑事の頂点である刑事部長ポストを、県警が明け渡したのは初めてだ。「いやあ、疲れましたわ。どこか温泉に行きたい。県内って、どこがいいですか」。いつもの関西弁でリラックスした表情だった。

キャップの中村裕は、殺人事件などを担当する捜査1課で課長の吉沢恒夫と話し込んだ。1階の記者室に戻った中村と後藤は「1課長、機嫌よかったぜ」「部長もですよ。最近では珍しいですね」と話し合った。ただ気になることがあった。後藤が階段ですれ違ったある課長に声を掛けると、「悪い。局長が来ているんだ」とさえぎられ、慌てて4階の講堂に向かっていった。局長とは関東管区警察局長の中田好昭。県警に対する特別監察に訪れたことを後で知った。

午後、県警本部の空気は一変する。捜査1課を訪れた後藤は「出ていけ」と追い出された。中村との対応の違いに、何か事件が起きたと感づいた。取材を進めると、断片的な情報が入ってきた。県警本部内の部屋で柏崎の住宅地図を広げていた、三条方面が騒がしい…。そして、ある少女の名前が出てきた。9年2カ月前の1990年11月、三条市で学校帰りに行方不明となった当時小学4年の女児だ。

三条市で小学４年の女児が行方不明になった現場を調べる県警捜査員（1990年11月14日）

中村は、行方不明事件の取材にも司法担当として携わった。「無事に発見、保護された」という一報に「生きていたのか」と安堵《あんど》するとともに「長期間、何をしていたのか」と疑問で頭がいっぱいになった。

三条支局員の市野瀬亮は女性の自宅を訪ねた。両親は女性と面会するために不在で、玄関で祖父が対応した。「早く会いたいが、今までどんな生活をしていたのか心配」。表情は青ざめ、声は震えていた。その様子が今も忘れられない。

午後9時半、行方不明事件の対策本部がある三条署で、記者会見が始まった。捜査1課長の吉沢と三条署長の竹内昭夫が並び、女性の実名を挙げ、柏崎市内で無事保護したことを発表した。

会見によると、28日午後3時ごろ、柏崎市内の病院で男が暴れていると病院から通報があり、柏崎署員が駆けつけたところ、37歳の男と一緒に19歳の女性がいた。女性が三条市で行方不明になった少女の名前を名乗ったため、指紋を照合し、本人であることを確認した。

女性は柏崎市内の民家で男とその母親の3人で暮らし、「10年ぐらい外に出ていなかった」と話している。女性は柏崎署で9年2カ月ぶりに母親と再会し、「お母さん、私だよ」と笑顔で抱き合ったという。

記者の質問は行方不明から長期に及ぶ経緯に集中したが、県警側は「女性の回復を待って話を聞く」と具体的な言及を避けた。

女性が置かれていた状況や発見の経緯が詳しく分からず、29日の朝刊は書きぶりに苦心した。「無事保護」の衝撃は大きく、当初は実名を報道する方針で、見出しにも実名を載せたが、最終的には匿名に切り替えた。

28日の県警の会見には事実と異なる点がいくつもあり、それは県警の失態を隠したものと後に批判される。そして事件対応の裏では県警トップの辞職につながる不祥事があった。報道と警察組織がぶつかり合う1カ月が始まった。

雪見酒

9年2カ月前に行方不明になった三条市の女性が発見されたという報告を、県警本部長の小林幸二は公用車備え付けの電話で受けた。通報から約2時間後の28日午後5時前のことだ。上川村（現阿賀町）の土砂崩れ現場を管轄する津川署などを視察した後、車は三川村（同）の温泉旅館に向かっていた。

宿では関東管区警察局長の中田好昭が待っていた。この日、県警に対する特別監察に訪れた人物だ。特別監察は、現職警察官の覚せい剤使用を組織ぐるみで隠ぺいした、前年の神奈川県警不祥事などの再発防止策として始まった。当然、警察庁は監察相手との懇親を禁じている。だが、中田は事前に小林に懇親会の開催を要望し、「雪の見える所がいい」と伝えていた。これを受けて県警が宿を手配し、本部長の〝視察〟も懇親会に合わせて設定した。

小林は到着後、電話やファクスで報告を受けたが県警本部には戻らず、午後6時ごろ、飲酒を伴う会食を始めた。途中、中田が「帰らなくていいのか」と帰庁を促したが、小林は「大丈夫です」と答えただけだった。

2人はともに東大卒のキャリア官僚。小林は前年の5月まで、同警察局総務部長として中田に仕えていた。本部長着任時の引き継ぎ事項に三条市の少女行方不明事件はなく、三条署を巡視した際に初めて説明を受けた。事件に対する重大性の認識が薄かったのか、捜査指揮より接待を優先させた。

午後8時半ごろ、マージャンが始まった。卓を囲んだのは中田と小林、生活安全部長の長谷川征司と生活安全企画課長。本部長が9時半に始まる記者会見の発表内容を了解するまで総務課長が代打ちをした。本部長が私費で購入した1万円分の図書券を商品として提供。マージャン接待は29日午前0時半ごろまで続いた。

同席した幹部は「(女性発見の)一報を聞いてまずいかなと思ったが、局長の手前、自分が本部長に進言するわけにいかなかった」と釈明した。

2人のキャリアは29日、水原町(現阿賀野市)の瓢湖で白鳥見物をした後、新潟市内で食事をして別れた。小林は結局、県警本部に向かわず、午後2時前、同市中央区の本部長公舎に帰宅した。

閉ざされた家

女性の発見、保護から一夜明けた29日、県警は柏崎市の男の自宅で家宅捜索を始めた。三条署は「未成年者誘拐・監禁事件捜査本部」を設置し、9年2カ月に及ぶ異例の長期監禁の全容解明に乗り出した。

男の家は、新潟日報柏崎支局から200㍍も離れていない住宅街にあった。犬を飼っていた文局長が毎日、犬の散歩で通った道だった。だが捜索が始まると、その異様ぶりが目に付いた。建物は母屋と増築した部分に分かれ、2階の窓には遮蔽《しゃへい》シールが張られていた。男が工事の途中で業者に入るなと言ったため、接続部分の外壁が残ったままだという。テレビの衛星アンテナは真上を向いた状態。近所の住民は「男が母親に暴力を振るっていた」「怖くて近づけなかった」と声を潜めた。

女性が監禁されていた男の家に家宅捜索に入る県警捜査員
（2000年1月29日、柏崎市）

家宅捜索の模様を取材しながら、柏崎支局員の鈴木啓弘は「生活感のない家。無機質というか、どんな人が生活しているのか、想像しがたい」と感じた。時間がたつにつれ、罪悪感も湧いてきたという。「こんなに近くにいたのに、女性を見つけてあげられなかった。毎朝、通勤で通り掛かるたび、申し訳ないなって」

捜査本部によると、女性は1990（平成2）年11月に三条市で連れ去られた後、2階の一室に監禁され、「怖くて逃げられなかった」と話した。行動を厳しく制限され、一度だけシャワーを浴びに1階の風呂へ連れていかれた以外は部屋を出たことがなかった。食事は母親が作り、男が2階に運んでいた。母親は「息子が怖くて2階に上がれなかった。女性がいるのは知らなかった」と話しているという。

家宅捜索で女性のランドセルや当時着ていたトレーナーなどが見つかった。下校途中に連れ去られた直後から監禁されたことを裏付ける物証だ。だが、男は柏崎市内の病院に入院中。捜査本部は精神状態が落ち着くのを待って事情を聴く方針だが、医師の許可が出るまで時間がかかりそうだった。

女性が連れ去られる1年半ほど前の89年6月、男が柏崎市内で別の女児を狙った未遂事件を起こし、柏崎署に逮捕されていたことも分かった。下校途中の小学4年の女児を空き地に連れ込もうとし、気付いた学校職員に取り押さえられ、現行犯逮捕されたものだ。男は懲役1年、執行猶予3年の判決を受けた。三条市で女児を狙った事件を起こした時は、執行猶予中だったことになる。同様の事件を起こしたにもかかわらず、男は捜査線上に浮かんでいなかったのか。28日の会見で三条署長の竹内昭夫は「柏崎の男に関する情報は全くなかった」とノーマークだったことを認めていた。

「事件が長期化した原因は初動捜査のミスではないか」「もっと早く見つけてあげられなかったのか」。捜査に対する批判が県警に寄せられた。竹内は口癖のように繰り返した。「まずは事件をきっちりまとめる。そして被害者対策をしっかりやる。一区切り付いた段階で捜査を検証するので、改めるべきは改める」

初動ミス

被害女性は1990（平成2）年11月13日、三条市で下校途中に路上で男に狙われた。当時は小学4年生。公判で検察側が明らかにした女性の供述調書によると、概要は次のようなものだ。車がスピードを落としてきて横を過ぎて数十メートル先で止まり、「これまでにない恐ろしい気持ち」になった。男が歩いて近づいてきた。ナイフを持っていた。暗闇にピカピカと光った。頭のてっぺんから爪先まで石のように固まった。男は力が強く、押し込められた車のトランクは、地獄への扉が口を開けて私をのみ込もうとしていたように見えた。どれぐらいか時間が過ぎ、トランクが開いた。家に帰れるかと尋ねると、男は「駄目だな。俺たちは一緒に暮らすんだ」と答えたという。

三条署は同日夜、対策本部を設置して捜索を始めた。報道部司法担当のキャップだった吉井清一は数日後、署長の竹内健一と会った時の印象を語る。「緊迫感はなく、事件の気配はなかった。家出や用水路に落ちた水難事故、連れ去りの可能性が考えられたのだが、手掛かりは全くなかった」

県警は次第に事件との見方を強めていった。前年の89年には、宮崎勤元死刑囚による連続幼女誘拐殺人事件が首都圏であった。だが三条市の現場が幹線道路から外れていたことから、県警は土地勘のある者の関与を疑い、県央地区を重点に捜査を進めた。吉井は「今なら車での連れ去り

県警の不祥事を見抜けなかった悔しさ

高橋正秀（新潟日報社常務取締役）

「休まない」が、夜討ち朝駆けのサツ（警察）回りの勲章で「働き方改革」など無縁だった平成の初め。1990（平成2）年11月、三条市の小学4年少女が下校途中に行方不明になった。事件は未解決のまま、9年2カ月後の2000年1月28日、女性は「無事保護」された。だが、朗報は本部長引責辞職に発展する県警一大不祥事の「パンドラの箱」を開ける序章にすぎなかった。

世間の耳目を集めた女性長期監禁事件は、意外な展開を見せる。容疑者が前年に柏崎市で女児を狙った未遂事件で現行犯逮捕、執行猶予中ながら、前歴者リストから漏れ、ノーマークだった「初動捜査ミス」が発覚したのだ。捜査ミスの背景を裏付けるように社会面トップを飾ったのが「捜査線上に現職警察官」「身内説に捜査広がらず」のスクープ記事だった。

「もしや、めぐみちゃんも帰ってくるのでは」。この事件に期待を寄せたのが、新潟市で1977（昭和52）年11月、北朝鮮に拉致された横田めぐみさんの母早紀江さんだった。2002年9月に北朝鮮が拉致を認めても取り戻すことができない娘の悲惨な現状を、三条市の被害者に重ねていた。

監禁現場となった柏崎市の「閉ざされた部屋」で「窓枠からの空しか見たことがなかった」9年2カ月と15日の重さ。家宅捜索で押収された赤いランドセルが、歳月の長さと少女の無念を象徴していた。深夜に帰宅後、薄暗い居間の片隅に置き去りにされた娘のランドセルが目に入った。「もし自分の娘だったら」。犯人への憤怒で胸が張り裂けそうになった。

「もっと早く救えなかったのか」。犯人を恨む気持ちと同時に、事件発生時に取材しながら、県警の初動ミスや隠蔽《いんぺい》体質を暴けなかった自責の念は今も消えることはない。

をまず考え、広域的に捜査するだろうが、当時は考えられなかったのかもしれない。初動捜査がきちんとできていなかった」と指摘する。

男が捜査線上に上がらなかった、もっと根本的な捜査ミスが明らかになった。三条署は当時、過去に同様の連れ去り事件を起こした不審者を千人以上リストアップしていたが、男は89年6月に柏崎市で女児を狙った未遂事件を起こして逮捕されていたにもかかわらず、リストに含まれていなかった。

82（昭和57）年に施行された国家公安委員会規則により、誘拐、性犯罪など八つの犯罪の前歴者に関しては「犯罪手口資料」を作成しなければいけない取り決めになっている。ところが柏崎署の取調官が男の手口資料を作成せず、県警本部の捜査1課に上げなかったため、データとしてコンピューターに登録されていなかった。

さらに三条市の事件発生後、不審者情報を三条署に上げるよう通達があったが、柏崎署からは男に関する報告がなかった。県警は当時の柏崎署が旧西山町の公金流用事件に人手を割かれていたとして「配慮が足りなかった」と釈明している。

しかし実務的なミスだけが長期化の原因ではない。本紙は県警内の一部にしか知られていなかった「トップシークレット」の封印を解いた。

身内犯行説

監禁事件の発覚から約1週間後の週末、新潟市中央区にあった本社西堀事務所に、ベテラン記者が集まった。三条で女性が行方不明になった1990(平成2)年当時の司法担当キャップだった吉井清一、サブキャップの高橋正秀ら6人。元県警幹部らの自宅を訪ねる「夜回り」取材の打ち合わせだ。

狙いは県警内部で長年トップシークレットとされてきた事件の「身内犯行説」の裏付け。担当者のメモには「組織(県警)対組織(日報)の闘い」という言葉があり、取材が困難を極めたことをうかがわせる。

概要は女性が行方不明になった当時、捜査線上に三条署の現職警察官が浮上し、県警が極秘に聴取していたというものだ。この警察官は容疑を全面否認し、アリバイもあって疑いは晴れたが、その後諭旨免職になったため「灰色のまま退職した」との疑念が広がった。捜査員の士気が低下し、初動捜査を誤らせたとの指摘があるという。

三条署は女性が行方不明になった11月13日に毎年、ビラ配りをして情報提供を求めていたが、「茶番に感じた」と証言する捜査員もいた。

2月6日、本紙朝刊に「捜査線上に現職警官」という記事が掲載された。現場の記者に県警の取材先から猛反発があった。「県警ＯＢとは誰か。実名を言ってくれ。許せない」。これまでになかった警察批判にさらされ、組織が動揺していた。

各社の報道も事件の本筋の解明から、県警の不祥事に比重が移っていった。

現職警察官の聴取に関して県警は当初、「そんなことはなかった」と否定したが、18日に警察庁刑事局長の林則清が国会答弁で聴取を認めた。

県警の対応を苦々しく思っていたのが、他ならぬ被害女性の父親だった。三条支局員の市野瀬亮は８日、警察官が24時間警備する中、父親の招きで自宅に上がった。父親は早朝、娘の監禁場所となった柏崎市の家を親族と一緒に見に行き、家の前に止めたパトカーで警戒中の警察官２人が寝ているのを目撃したと明かした。

「娘は警察が見つけたわけではなく、男が暴れたから見つかっただけじゃないのか」。不信感を抑えきれず、激しい言葉があふれ出てきた。市野瀬は「娘と再会できた喜びより、どうしたらいいか分からない葛藤、それを上回る警察への怒りを感じた」と振り返る。

柏崎市の病院に入院していた男の精神状態が落ち着き、三条署捜査本部は11日、未成年者略取、逮捕監禁致傷の疑いで逮捕に踏み切った。被害者の女性が受けた「心の傷」と足の筋力低下を傷害と捉え、量刑を重くする判断だった。

逮捕後、三条署長の竹内昭夫が女性の自宅を訪れ、父親に直接報告しようとした。家には入ったものの、面会を拒否され、冷たい雨の中、そそくさと車に乗り込んだ。

虚偽会見

容疑者逮捕の記者会見は、県警幹部にとってひのき舞台のはずである。だが三条署捜査本部が未成年者略取、逮捕監禁容疑で柏崎市の男を逮捕した2月11日は違った。

県警は前日、1年半ほど前に同様の未遂事件で男を逮捕しながら、柏崎署が手口資料を作成せず犯罪者リストから漏れていたとして、初動捜査のミスを公式に認めていた。11日の会見でも捜査ミスを追及する質問が上がり、刑事部長の百田春夫は「長期間にわたって被害者を救出できなかったことを大変重く受け止めている。もっと早く救出してあげたかった」と顔をこわばらせた。

逮捕を待っていたかのように、県警の新たな不手際が〝告発〟される。女性を発見した時の状況を巡る発表が、事実と異なるというものだ。発信源は県庁だった。

1月28日に女性を発見したのは、男の母親の要請で自宅に往診に訪れた病院の医師、柏崎保健所関係者。男が抵抗したため、保健所職員は柏崎署に電話し、生活安全課に「男が暴れている。3人ほど来てほしい」と要請した。男を鎮静剤で落ち着かせた頃、女性がいることに気付いた。7分後、同課係長から折り返しの電話があった際も「身元不明の女性がいる。1人でいいから来てくれ」と再度求めた。

これに対し係長は「住所と名前ぐらい聞いてくれ。何でも警察に押し付けないでくれ」と出動に応じなかった。車で病院に向かう途中、保健所職員が女性に身元を尋ねると、三条市の行方不明少女の名前を名乗ったことから、柏崎署に通報。刑事課の３人が病院に急行した。

男の母親は４年前の１９９６（平成８）年、息子が暴れると柏崎署に相談していたが、「保健所に相談してくれ」と門前払いされた。病院のカルテに記載があった。しかし柏崎署では相談を受理した場合に記載する防犯相談記録簿の95～97年分を保存期間内にもかかわらず破棄し、確認ができなかった。

1月28日の最初の会見では、病院で男が暴れていると通報を受けた柏崎署員が駆けつけ、女性を発見したことになっていた。県福祉保健部長の曽根啓一は「県警がどうして事実と違うことを言うのか分からない」と不信感をにじませた。

県警は柏崎署の失態を隠すために会見で「虚偽」の発表をしたのではないかという、疑念が広がった。２月16日の本紙朝刊は「虚偽会見の疑い」と報じた。県警は17日に刑事部長の百田春夫と生活安全部長の長谷川征司が会見し、「誤解を与えた」と陳謝した。百田によると、第一発見者が病院関係者だと明らかになると問い合わせが殺到して迷惑がかかると考え、捜査1課長の吉沢恒夫が起案。百田、本部長の小林幸二も了承したという。

県警内部には、吉沢に対する同情論もあった。最初の会見の時点では、柏崎署が出動要請に応えなかったやりとりを聞かされていなかったからだ。司法担当の前田有樹は捜査幹部に呼び止められ、苦悩をぶつけられた。「事件記者なんだから、同じ社会正義のために調べている俺たちの気持ちを理解してくれ。第一発見者を公表すれば、みんなが取材に行って発見時の状況が公になるだろう。だから伏せたんだ。それを柏崎署の対応を隠すためにうそをついたみたいに書かれて」。普段の柔和な顔が怒りでこわばっていた。

別の幹部は警察庁の意向を示唆した。「県警が謝れば向こうで対応する必要がなくなる。（キャリア組の）本部長、刑事部長が警察庁に言われ、謝った。現場の捜査員はやってられない」と嘆いた。

警察庁は20日、県警に検証チームを派遣し、事実関係を調べた。本部長の責任問題に発展することは必至だった。

辞意を表明し、深々と頭を下げる県警本部長の小林幸二（2000年２月26日、県警本部）

本部長辞職

2月26日土曜日、県警本部内の司法記者クラブに休日のため気軽な服装で顔を出していた本社司法担当の後藤貴宏は他社の記者が駆け込んでくる靴音で異変に気付いた。ある全国紙が、都内で発行する朝刊最終版で、本部長の小林幸二が被害女性の発見当夜に「ホテルで飲酒」と報じたことを知った。事実とすれば進退問題につながる報道だった。

本部長は虚偽会見など一連の不祥事発覚以来、記者クラブの会見要請を7日連続で拒否。前日にようやく応じて女性や家族におわびを述べ、一つのヤマを越えたかに見えた。だが県民の批判は収まらず、26日の本紙朝刊では200通以上の投書を基にした連載「迷走する県警」が始まった。

26日午後5時、緊急会見が開かれた。顔を上気させて会場に入ってきた本部長の小林は「虚偽発表をして国民の信頼を失墜させた。責任を取りたい」と引責辞職を表明し、頭を下げた。女性が保護された当日夜、三川村（現阿賀町）の温泉旅館で、関東管区警察局長の中田好昭らと酒やマージャンに興じたと自ら明かし、「最高幹部として甚だ不謹慎だった」と謝罪した。

一方で「酒を飲んでも指揮はできる」「当時の判断、指揮に自信がある」と強がった。県警内で「殿」と呼ばれた威光を示すように背筋を伸ばし、大きな声で答えたが、目はうつろだった。県警トップの辞職という最悪の事態。〝主役〟が退場した本紙連載は初回だけで中止になった。

県警関係者が辞職に関して無言を貫く中、キャップの中村裕の携帯電話が鳴った。会見で小林は否定したが、既に女性の家族と面会しているという内容だった。電話の主は「辞職によって幕引きを図り、職員の動揺を収めた」と「殿」をかばった。

別の幹部は、小林が警察庁長官の田中節夫に辞意を伝えたのは26日朝ではないかとの見方を示した。「飲酒接待の話なんて最初から知っていたから、その記事が出なきゃいいがなと思っていた。出てしまったのだから、監督責任を問われても仕方ない」と警察庁による解任を示唆し、こう続けた。「だいたい（一連の）日報の記事でこんなことになったんだ。県警がいくら説明しても、警察庁は地元の報道の方を信じた」

本部長の小林は減給100分の20（1カ月）の懲戒処分となり、関東管区警察局長の中田も辞職。3月2日には虚偽発表に関わった刑事部長の百田春夫と捜査1課長の吉沢恒夫を減給としたのをはじめ、保健所からの出動要請への対応が不適切だった柏崎署関係者3人、マージャン接待に加わった県警幹部4人の計9人を処分した。そして警察庁長官の田中の懲戒処分という、警察史上例のない事態に発展した。

一連の不祥事では、捜査の現場を知らないキャリア官僚と、上官の意向に逆らえない階級社会のひずみが浮き彫りになった。長年の経験がものをいう刑事畑のトップに準キャリアが就いたことへの風当たりは強かった。懲戒処分の影響で任期の2年を過ぎても異動先が決まらなかった刑事部長の百田は、本社司法担当の後藤につぶやいた。「刑事部長ポストは地元の方にお返ししないとね」

懲役14年

県警本部長の小林幸二が県警を去った4日後の3月3日、新潟地検は女性を長期監禁した男を略取、逮捕監禁致傷の罪で起訴した。焦点となった「心の傷」に関しては、立証が女性の負担になることなどを考慮して傷害罪の適用を見送り、両足の筋力低下など身体的な障害に絞った。

5月23日に新潟地裁で開かれた初公判は、犯罪史上例のない9年2カ月に及ぶ長期監禁事件の真相解明の場として、全国から注目された。地裁は傍聴希望者の抽選会場を新潟市体育館に設定。27の一般傍聴席を求め、80倍を超える2272人が集まった。

検察側は冒頭陳述で、監禁生活の実態を明らかにした。男は言葉と暴力で女性を繰り返し脅し、部屋から逃げないこと、大声を出さないことを約束させた。女性が約束を破ると暴行を加え、女性は自分の手や毛布をかんで耐えた。悲惨な状況に傍聴席からため息が漏れた。女性の供述調書も読み上げられ、「二度と出てこられないようにしてほしい。日の光を見せないでほしい」と訴えた。

6月27日の第2回公判では、男の被告人質問が行われた。男は「寂しくて友達がほしかった」と身勝手な動機を語った。初公判で女性の供述調書の朗読を聞き、「自分は彼女とうまくやっていると思っていたが、本当は恨まれていた」と初めて気付き、わび状を書いたとした。

12月5日の第5回公判では、女性の両親が証人として法廷に立った。父親は「時間が埋まりません」と嘆いた。「10年前はただかわいい小学4年生だったのに、もう大人になっていて、自分が育てていないのにこんなに大きくなって、涙が止まりませんでした。時間を戻してください」

母親は声を震わせながら女性の言葉を代弁した。「9年間、私がいない間に流れていた川の流れがあったとして、9年後、私はその流れに入りたい。けれども、私が入ったために水の流れが変わるみたいで耐えられない」。司法担当として傍聴した前田有樹は、女性の受けた苦しみの大きさを物語る、この言葉を記事の冒頭に記した。「女性が社会で普通に暮らす日が来るまで、事件が終わったとは言えない」と感じていた。

公判の途中で新潟地検は、男が女性に着用させる衣類を万引したとして、窃盗罪で追起訴した。同罪と略取、逮捕監禁致傷罪は「併合罪」として扱われ、最高刑が懲役10年から15年に延びた。2001（平成13）年11月30日の論告求刑公判で検察側は、9年2カ月という長期監禁事件に対し「最高刑を持って臨むべきだ」と懲役15年を求刑。さらに未決勾留日数についても「一日たりとも算入すべきでない」と異例の意見を付け、被害者感情を考慮した。

02年1月22日、新潟地裁は懲役14年の実刑判決を言い渡した。量刑の理由を述べた裁判長が「女性の惨状は目を覆うばかり」と声を詰まらせる場面もあった。

男が控訴し、東京高裁は併合罪の法律解釈に誤りがあるとして一審判決を破棄し、懲役11年としたが、最高裁は03年7月10日に高裁判決を破棄し、一審の懲役14年を支持した。

男の逮捕から判決確定まで、3年半以上が経過していた。

公判が始まるころ、父親が語った言葉を、当時報道二部長だった小田敏三は忘れない。監禁された期間を父親は「一日たりとも省かない。9年2カ月と15日です」と語気を強めた。その秋、女性は20歳の誕生日を迎えた。自ら選んだ誕生生プレゼントは1枚のCDだった。曲はリスト作「ラ・カンパネラ」。高音域の澄んだ「鐘（ラ・カンパネラ）」の音色が沁み入る作品だ。小学4年の時には縁のなかった曲だという。「いつごろ、どんな心境で聞いていたのか…」。父親は涙をこらえた。

もみ消し

県警本部長の小林幸二の後任として2000（平成12）年2月29日に着任した堀内文隆はその日、三条市で被害女性の父親にあいさつして帰庁した後、ある報告を受けた。交通機動隊長が交通違反をもみ消しているという。退庁時、報道陣に初日の感想を求められた堀内は「ロンゲスト・デー（一番長い日）」と述べたが、それは県警が身内の警察官を取り調べる異例の捜査の始まりでもあった。

県警は3月19日、元交通機動隊長ら2人を逮捕した。午前2時すぎに緊急会見が開かれ、堀内は「信頼回復に努めようとした矢先、最悪の不祥事で痛恨の極み」と頭を下げた。

会見は、逮捕の5分前に2人を懲戒免職処分にして「元職」と発表したことや、端緒となった匿名の電話を受けた警察署名を明らかにしなかったことを巡り紛糾。県警が約20分で一方的に打ち切った後、記者クラブの抗議を受けて再開された。

監禁事件の虚偽発表を受け、県警は適切な説明を約束したはずだったが、捜査上の秘匿を盾にあいまいな答えに終始する姿勢は、堀内の言葉とは裏腹に「身内に甘い」体質が変わらないように映った。

監禁に絡む一連の不祥事で地に落ちた信頼を取り戻すには、うみを出し切るしかない―。「血を流しながらやった」（捜査員）という捜査の結果、もみ消し事件で県警が最終的に逮捕、書類送検した県警関係者は50人、処分者は67人に上った。

8月10日に捜査終結の会見をした堀内は「身内に手術を行うつらい仕事だったが、立件できるものは立件することで自浄能力を発揮できた。（着任以来の）喉のつかえが取れた気がする。今日から職員一丸となって、着実に信頼回復に努めたい」と語った。

監禁事件に絡む一連の県警不祥事は、それをチェックできなかった県公安委員会の形骸化も浮き彫りにした。国家公安委員会が設置した警察刷新会議は7月の最終提言で警察の問題点を「閉鎖性」「批判を受けにくい体質」「時代の変化への対応能力不足」の3点に要約した。方策として情報公開の徹底や苦情に対する回答の義務付け、公安委を補佐する体制の充実などを挙げた。

安全を見守る

三条市の女性監禁事件発生から四半世紀以上がたった2018（平成30）年5月。新潟市西区で7歳の小学2年女児が連れ去られ、遺体となって発見される殺人・死体遺棄事件が起きた。下校途中の幼い女の子が再び、白昼に襲われた。三条の事件の教訓は生かされなかったのか。司法担当キャップの三浦穂積は監禁事件の発覚当時、入社1年目の新人記者として県警の取材に携わっていた。「罪のない無防備な子どもがまた襲われてしまった」とショックを受けた。

事件は5月7日深夜、JR越後線の列車がこの日午後から行方不明になっていた女児をはねた。司法解剖の結果、別の場所で殺害された後に線路上に遺棄されたことが判明し、県警は殺人事件と断定した。

女児は友人たちと学校を出た後、いつもと同じように通学路を通って家に向かっていたとみられる。踏切へ向かう坂道は、車通りも多い。しかし、女児が連れ去られたとみられるのは、坂道から曲がった線路沿いの小路。住宅街だが、日中の人通りはぐっと少なくなる。

事件を機に政府も動き、全国で通学路の安全点検が行われた。昼間であっても人目に触れにくい危険な場所（ホットスポット）が存在し、犯罪の温床になりかねないとして、官民が協力して危険箇所の洗い出しが進められた。

登下校の時間帯に街頭に立ち、子どもたちの安全を見守る活動も見直された。高齢化で担い手のいない地域には、防犯カメラの設置や警察によるパトロール強化が打ち出されたところもある。

西区の事件発生から1週間後の5月14日。女児の家の近くに住む23歳の会社員の男が死体遺棄などの疑いで逮捕された。4月に別の少女に対する性犯罪の容疑で摘発されていたことが、男が早くから捜査線上に浮かぶ要因になったとされる。

性犯罪の再犯防止の取り組みは、試行錯誤を繰り返して進められてきた。奈良であった女児誘拐殺人事件を受け、2005年から子どもに対する暴力的性犯罪をして服役した出所者を対象に、警察庁が情報を登録する取り組みが始まった。11年からは再犯防止のための面談も行っている。しかし、出所者が提供された情報通りの場所に住まなかったり、面談を拒否したりするケースもあり、全てをカバーできているわけではない。事件後、県議会では再犯を防ぐため、性犯罪者に衛星利用測位システム（GPS）端末を装着させるなどの対策を求める意見書を可決した。プライバシーの問題も指摘されるが、議論に一石を投じた。

県警は性犯罪を含む各種犯罪の手口や前科前歴者の情報をリストにして管理している。再犯性の高い性犯罪常習者については、顔写真や年齢、居住地、所有する車などの情報を把握している。警察などによる防犯の目に加え、日常的にそこに暮らす人々の目が犯罪抑止に役立つと、改めてその効果が見直されている。社会の無関心が再び悲劇を生んでしまわないよう子どもたちの安全を気に掛けたり、少しでも地域に関心を持ったりする姿勢が求められている。地域全体で子どもたちを守っていく取り組みはまだ始まったばかりだ。

第7章　女性デザイナー誘拐殺人事件

この事件は1965（昭和40）年1月に起きた。新潟市で若い女性デザイナーが誘拐され、身代金を要求する電話が自宅にかかってきた。しかし、その後に女性は遺体で見つかる。容疑者の男は事件から1週間後に逮捕された。男は殺人などで起訴され、死刑判決を受ける。

事件の2年前に封切りとなり、ヒットした映画「天国と地獄」（黒澤明監督）さながらの手口は、大きな衝撃を与え、全国的にも注目を集めた事件だった。前年には1巡目の新潟国体、東京五輪、新潟地震があった。本紙紙面には「不況風」「不況ムード」という当時の世相を表す言葉がよく出ていた。

誘拐された女性デザイナーの遺体発見現場付近（1965年1月14日）

電話で巧みに

五輪前まで良かった景気がやや下降線をたどり始め、全国的には「昭和40年不況」という言葉がやがて流布する。

１９６５（昭和40）年初めに掲載された県内企業へのアンケートでは「おいおい景気は好転するだろう」と答えている企業幹部がいた。事実、翌66年には景気の停滞は底を打ち、再び日本経済は成長を続けて、後に「いざなぎ景気」と呼ばれる。

暖冬少雪だった前年に続いて、事件があったこの年もまた暖冬かという声が出ていた。しかし、1月12日夜から13日朝にかけて寒波が襲来し、下越一帯の平野部はまとまった積雪になる。典型的な里雪で、列車に運休が出るなどダイヤがかなり乱れた。

新潟市（中央区）西大畑町で、ガソリンスタンドを経営する母親と住んでいた短大出の24歳の女性デザイナーは、新潟市の近隣の市町村にある商店に勤めていた。

奇しくも事件が起きた1月13日は、女性の誕生日だった。勤め先の同僚に女性は誕生日だから〝きょうは早く帰りたい〟と話したという。列車で新潟に帰る予定にしていたが、運休したので女性は店に引き返す。同僚たちが乗用車で女性を新潟市の家へ送り届けてくれた。自宅に着いたのは午後7時半ごろだった。

母親が作ったごちそうで誕生祝いをする。食事後、女性が編み物をしていた午後8時半ごろに電話が鳴った。母親が電話に出たら、警察の者と名乗る若い男の声で「おたくの車がよその家の玄関の前で邪魔になっている」と言われた。

母親は自動車に詳しくないので、女性が電話の応対を代わった。「(車の)番号を言ってください」と聞くと、男は「現場で確認してくれ」と返事をする。考えてみれば、巧妙な誘いだった。確かめに出かけた女性は帰ってこなかった。

1時間しても女性が帰らないので、母親は身を案じていた。午後9時半ごろ、再び電話が来る。お手伝いさんが出たが、「奥さま(母親)に代われ」と言われ、母親が出た。

「どちらさんですか」

「誰でもいいじゃないか。名前は言わない。娘さんを捕まえておくから、あすの朝10時までに700万円そろえておけ。サツに言ったら、命なんかないぞ」

男は怒鳴るように言って電話を切った。

母親は息子(女性の兄)や知人に連絡し、相談した。その上で午後10時40分ごろ、新潟中央警察署に届け出た。午後11時ごろ、数人の警察官が家に派遣される。電話に録音装置を設置した。13日は、その後電話のベルは鳴らなかった。

翌14日午前11時40分ごろに電話が来る。録音装置が外れていた。しばらく受話器を取らず、装置をセットしてから電話を取った。応答はなかった。

4度目とみられる電話は午後0時10分ごろに来た。母親が出た。

「娘はどうしているんですか」

「倉庫の中にぶち込んである」

「それだけじゃ信用できないから、娘を（電話に）出してください。声だけでもいいから」

「とにかく（午後）1時に、新潟駅の待合室に金を持ってこい。金さえ持ってくれば帰してやる」

14日朝、警察担当記者で新潟中央署に詰めていた石黒泰治は、「夕べ誘拐事件があり、身代金を要求する電話が来た」と知らされる。

「列車から金投げろ」

この事件は50年以上も前の話だ。身代金として要求された700万円は、当時のサラリーマンの給与、物価から考えると、今ならその10倍の7千万円くらいに値するのではないか。

石黒は「1千万円とか500万円とか切りのいい数字でなく、700万円は中途半端だな」と思った。犯人が必要な金額を見積もったのだろうかと考えた。刑事は「われわれには大金だが、あの家なら払える額だ」と女性宅は相当な資産家であることを示唆した。

母親と兄は現金約20万円と新聞紙を1万円札の大きさに切った700万円相当の厚さの金包みを用意し、捜査員を伴って新潟駅に向かう。

駅に着いて、午後1時15分ごろに案内所から、「(西大畑の人に)電話です」という内容のアナウンスが響いた。今度は兄が電話に出た。

相手は「これから5番線から発車する柏崎行き1時27分の列車に乗って、線路右側を見ると赤い旗が見えるから、すぐに窓から金を投げろ」と命じた。

「赤い旗ですね」

遺体発見現場で行われた新井特捜部長の記者会見(1965年1月14日)

「そうだ。間違えるな」。そう言って相手は電話を切った。

母親と兄が乗った列車が発車して間もなく、2人は赤い旗を発見した。赤い旗は人間の身長くらいの高さの棒のような物に付けてあった。ところが、列車の窓はいくらガタガタと開けようとしても開かない。金包みを投げることはできなかった。

事件は最悪の結果を迎える。1月14日午後5時半ごろ、新潟市の関屋海岸の射撃場入り口の路上で、女性の遺体が発見された。服装は家を出たときと同じで、あおむけになっていた。包帯のような物が首に巻き付けられていた。死因は絞殺だった。

ガス会社の従業員が帰宅途中に遺体を見つけて、派出所に届け出た。悲報を県警から告げられた母親は号泣した。兄には捜査員たちが「お気の毒です」と、殺害されたことを伝えた。

気の毒だった被害者の兄

石黒泰治（元新潟日報記者）

当時の本社の警察担当は3人で、キャップ（滝秀則・元新潟日報監査役）が県警本部にいて、私ともう1人が、当時は万代橋のたもとにあった新潟中央警察署に詰めていた。

誘拐事件があった1965（昭和40）年の前年、64年10月に新潟市寺尾で夫の留守中に主婦が刺される強盗事件、12月に新潟市小針で母子が絞殺される強盗殺人事件があり、65年の年明けは大きな未解決事件が二つあった（小針事件はその後、容疑者を逮捕）。

寺尾の事件から休んでいないので、キャップが「親の顔を見てこい」と1月15、16日は休みをくれて、両親のいる高田市（現上越市）に行く予定だった。

14日朝、帰省のために荷物を入れたボストンバッグを持って、警察に行った。その日の夜に高田に帰ることにしていたが、女性デザイナーの誘拐事件があったことを知った。

切なかったのは女性の遺体が発見された後に、「女性の兄さんの気持ちを聞いてこい」と上司から言われたことだ。聞きに行くのも俺の仕事だと、自分に言い聞かせた。

家に行くと若い警察官がいて、報道陣が近寄らないように「帰れ、帰れ」と言う。真冬で玄関先は寒かった。奥の方から「いいですよ。お会いしましょう」と兄さんの声がした。

各社の警察担当は若い人ばかりで、ワーワーと大声を上げたりする。私は29歳で少し上だから、「静かに聞こう」と各社の記者をなだめた。

その記事は「実兄も一夜でゲッソリ」と見出しが付いている。兄さんはひげが濃かった。物静かな人だった。気の毒に思った。

その後の捜査や解剖で、女性が死亡したのは13日午後10時から14日午前9時ごろと推定された。それなら新潟駅で電話のやり取りをしたり、列車の窓を開けようとしたりした時には、既に女性は殺害されていたことになる。犯人の遺留品らしき物はなかった。

14日深夜、女性の遺体が発見された現場は静まりかえっていた。女性の中学時代の美術の先生らが菊や白いユリ、カーネーションの花束を置いて静かに手を合わせた。

県警と新潟中央署は営利誘拐、殺人、死体遺棄事件として特別捜査本部を設置、約500人を動員して、本格的な捜査に乗り出す。

誘拐された女性の生命を第一に考えた報道陣は、取材活動をそれまで自制していた。女性の遺体が見つかったことで、本紙は1月15日付の朝刊からこの事件を掲載し、連日大きく紙面を割いて報道していく。石黒は女性の兄の談話を取りに行った。

映画さながらの手口

新潟市の誘拐事件の約2年前の1963（昭和38）年3月、巨匠といわれた黒澤明監督の映画「天国と地獄」が封切られた。

舞台は神奈川県。高台の邸宅に住む製靴会社常務の権藤（三船敏郎）にある日の夜、「子どもを誘拐した。3千万円用意しろ」と男からの脅迫電話がかかってくる。ところが、息子は家に現れた。男は住み込みの運転手の幼い息子を、間違えて誘拐したのだ。間違いと気付いても、男は金を要求した。

男は権藤に金を入れた二つのかばんを持って、特急「こだま」に乗るように指示する。車内でまた電話がかかる。「川の鉄橋が過ぎたところで、かばんを窓から投げ落とせ」

特急の窓は開かないが、洗面所の窓なら7㌢開く。かばんの厚さと同じだった。指示通りに権藤は窓から投げ落とす。運転手の息子は解放された。

誘拐したのはインターンの竹内（山崎努）。竹内の下宿は権堂の冷房の効いた豪邸を見上げる場所にある。「お高く構えやがって、こっちはうだっているんだ。地獄の釜の中さ」というセリフがある。

身代金奪取で竹内に協力した麻薬中毒の男女がいた。その2人に竹内は純度の高いヘロインを与えて、ショック死させる。捜査を指揮する警部（仲代達矢）は2人の死亡を伏せ、竹内をおびき出して逮捕した。竹内には死刑判決が出て、後に判決が確定する。

列車から金を投げ落とすように指示するなど、新潟市の誘拐事件と手口が酷似しているのに驚く。「映画さながら」という見出しの記事も出た。誰が考えても「天国と地獄」をまねたのは明らかだった。映画では誘拐された男児は無事帰ってきたが、新潟市の女性デザイナーは違った。

映画公開当時の本紙の広告には「現代が生んだ巧妙精緻の凶悪ドラマ！」とうたっている。黒澤監督といえば「七人の侍」「用心棒」「椿三十郎」など時代劇の名作が多いが、次は現代劇を撮り

交通取り締まりが解決のきっかけに

佐藤喜佐雄（元新潟西署長）

忘れられない事件だ。発生2日後に容疑者を職務質問し、怪しいと感じ捜査本部に報告、交通警察にいて凶悪な刑事事件の解決に協力できた。今でも「よくやれたな」と思う。

機動巡ら隊（現交通機動隊）の巡査部長で交通取り締まりに従事していた。1月15日夜、田村勝巡査とパトカーに乗車し、国道8号の運転免許試験場（現新潟ふるさと村）付近でふらふら運転のプリンス・グロリア（車種名）を発見。速度超過のトラックを追い掛け検挙後、捜したが見つからなかった。無免許で逃げたとみて行方を追った。

ナンバーで割り出し新潟市の所有者宅に急行。運転していた息子は別に住んでおり、母親を乗せ容疑者宅へ。母親は30分後に出てきて息子は病気の発作で出られないと弁明。容疑者の同居女性も来て押し問答をしていたら容疑者が出てきた。免許証を所持し飲酒もなかった。引っ掛かりは感じたが交通違反容疑は晴れたので引き揚げた。

朝、宿直室で新聞を読むと、身代金を落とす目印にした赤い旗の記事と写真が出ていた。昨夜の家に近い。あの男が怪しいと田村巡査と話していると隊長が来たので伝えた。すぐ捜査本部に一報し、報告書を書けと指示された。

私たちの報告も手がかりの一つとなり、容疑者は20日逮捕された。犯行後の動揺からふらふら運転をしていたのだろう。当時は交通警察と刑事警察の間の情報交換は密でなかった。あの後、県警内部誌に機動巡ら隊にもできるだけ早く手配をと一文を寄せた。

たかったようだ。原作はエド・マクベインの「キングの身代金」。「天国と地獄」は大ヒットする。

身代金目的の誘拐という凶悪で卑劣な犯罪に対して強く抗議するメッセージを、黒澤監督は作品に込めたかったのだろう。ところが、摸倣犯が全国で続発した。監督は心を痛めたという。

遺体発見現場の現場検証（1965年1月15日）

警察犬で足取り追う

摸倣犯とみられる事件の中に、1963（昭和38）年3月末に東京都台東区で4歳の男児が誘拐された「吉展《よしのぶ》ちゃん誘拐事件」がある。身代金は奪われ、男児は帰ってこなかった。映画の公開直後に起きた事件だ。当時の警視総監（後の参院議長）、原文兵衛がメディアを通じて「一日も早く、吉展ちゃんを自宅に無事に帰してほしい」と誘拐した男に訴え、国民的な関心事になった。

その頃は「戦後最大の誘拐事件」といわれた。新潟市の事件が起きたときには「吉展ちゃん事件」から約2年が経過していた。男児は依然行方が分からず、容疑者逮捕にも至っていない。石黒は「誘拐といえば、吉展ちゃん事件のことしか頭になかった。まさか新潟で成人女性が誘拐されるとは」と驚いたという。

話を新潟市の事件に戻す。65年1月14日に設置された特別捜査本部は、翌15日から女性デザイナーの遺体発見現場の検証や周辺の聞き込みを始めた。女性の衣類からにおいをかいだ警察犬を使い、電話の男の足取りを追う。

状況から犯行に車が使われたことは間違いなく、特に県外へ出る車は一台一台厳しく検問した。多角的に捜査が展開される一方で、報道陣の取材活動も精力的に続けられた。

ところで当時の新聞紙面に登場する言葉だが、事件の記事は文中も見出しも「誘かい」と表記している。「拐」が新聞に使用されるのは1980年代初めごろからだ。

これは81年に国語審議会の答申により、内閣府が「拐」など約100の漢字を常用漢字として追加したから、これを受けた新聞表記の基準変更だろう。一般の人は大半が読める漢字になったということか。70年代後半に起きている女子中学生の事件のときは、まだ「誘かい」と表記している。

連日報道された記事は、取材対象にかなり食い込んでおり、詳しすぎるほど詳しい。例えば先述した脅迫電話のやり取りはもちろんだが、女性宅のお手伝いさんの実名と出身地、誘拐された当日に女性を新潟市まで送った複数の同僚の実名も出している。

新潟駅にかかってきた男の電話を受けた案内所の女性も取材に応じた。実名、顔写真入りで報道した。人権やプライバシーの保護を尊重する現代なら、お手伝いさん、同僚、駅の女性は事件への関与の度合いを考えた上で匿名で報道し、性別と年齢だけ付記するのが妥当ではないか。

プリンス・グロリア

被害者の女性は通勤用に自分の車を持っており、車種は日産のブルーバードと報道された。誘拐された日は積雪があったためか、女性は列車で出勤した。ブルーバードは自宅に置いてあった。犯行に使った車両ならともかく、女性の車の車種は直接関係ないことにも思えるが、こうした周辺の事実は克明に記事化している。ブルーバードは後に事件とつながる。

捜査は進展した。女性の誘拐に使った車について、2組5人の目撃者の証言を得る。車種はプリンス・グロリアで2組の証言は一致した。目撃者の中には自動車修理の仕事をしている男性がいた。誘拐現場とみられる場所にグロリアが駐車し、若い男女が立ち話をしていたという。男性は「われわれは車の修理に当たっているので、車の種類は絶対に見間違うわけない」と断言した。筆者が駆け出しの警察担当記者だった80年代、誘拐事件を捜査していた県警の警部は当時を思い出して「グロリア、グロリアと言って捜し回ったもんだがね」と話していたのをよく記憶している。

これも余談だが、この事件で民家などの聞き込みに奔走する正義感あふれる若い独身の刑事たちに、多くの女性があこがれたようだ。聞き込みに訪れた民家の娘さんと結婚した刑事がかなりいたと聞いた。

不安定な時代を象徴する事件

菅伸男（元県警刑事部長）

新潟中央署に赴任して3年目に起きた事件だった。当時、県内では事件が相次いでいた。現在の新潟市西区の寺尾で主婦が襲われた強盗事件、同じく小針であった乳児と母親が殺害された強盗殺人と、立て続けに発生した。

女性デザイナー誘拐殺人事件が起きた翌週には、新潟市の本町通で、今度は男の2人組が鮮魚店夫婦の手足を縛って現金を奪う強盗事件が起こった。新潟地震の直後で社会が動揺し、凶悪事件が相次いでいた。

デザイナー誘拐殺人事件では、被害者の自宅周辺やご家族が事業を営んでいた地域などを担当して回った。

被害者の方の遺体が見つかってから1週間ほどたって、容疑者の男が病院に入院していることを突き止めた。捜査では、白衣を着て医者の格好をした。請求した逮捕状が下りるまで時間がかかる。容疑者が逃走しないように、医師に変装して見張るためだった。白衣を借り、女性の看護師2人も借りて、20分おきに「変わりはないですか」と患者さんたちに声を掛けて回りながら様子をうかがった。

容疑者は3階の窓際のベッドにいた。ようやく逮捕状が下りて、執行を告げると、うなだれて何も話さなかった。

容疑者を連行するときには、管理職の刑事官が自ら現場に赴いた。通常ではあり得ないこと。この2年前に、東京で「吉展ちゃん誘拐殺人事件」が起きていて、全国的に誘拐事件が多く発生していた。県内でも誘拐事件が起きたとあって、県警も力が入った。刑事官による連行はその表れだ。不安定な時代を象徴するような事件だった。

誘拐から1週間になる1月20日の朝刊紙面には「自動車、列車、電話など本来なら生活を便利にすべき文明の所産が逆に悲劇、犯罪の道具として利用されている」という本紙記者の言葉が掲載され、「これといった有力容疑者は浮かんでこない」とも書かれていた。

だが、20日の夕刊は事件が急展開したことを報じる。

当時、この事件を担当した記者に、新潟中央署のトイレで警察官が「忠臣蔵だよ」とささやいたが、さっぱり意味が分からない。キャップに報告したが、「それは分からんよな」と言った。後で気付いたが、「忠臣蔵」に出てくる赤穂浪士が使った有名な符丁、合言葉が容疑者を示すヒントだった。

東京高裁による犯行に使われた車の検証（1967年4月20日）

自動車セールスの男

1月20日の夕刊にフラッシュニュースが出た。締め切りまでに記事を書き込む余裕がなく、短い記事を紙面に突っ込んで見出しを大きくするのがフラッシュニュースだ。

誘拐事件の容疑者の詐欺か横領の別件での取り調べを開始し、事件の全容は今夜判明するとみられるという衝撃的な内容だった。

事件当事者の家族の心情を思う

本間忠雄（元県警刑事部長）

事件の当事者にはそれぞれに家族がいる。思いもつかないことが、家族たちのところへ降ってくる。

当時は刑事になって間もない頃だった。要求通りに身代金が渡せないうちに、被害者女性の遺体が発見された。司法解剖で、女性は誘拐されてから早い段階で殺されていたことが分かったが、初めは身代金が渡せずに殺されたと思い、大きなショックを受けた。

ご遺族からすれば、警察に対して「生きているうちに助けてくれれば」と考えるのが普通だが、苦情一つおっしゃらなかった。

事件後、ご遺族は県警察に携帯無線機を寄贈された。当時の県警察の通信機材は貧弱で、身代金を投げ落とす場所の目安だった赤い旗の位置が捜査員の間で間違って伝わる要因にもなった。無線機さえあったら連絡のつけようがあったのではないかと思われたのかもしれない。頭が下がる思いだった。

犯人の家族も大変な思いをされる。男の実家は自動車業を営んでおり、被害者の家は取引先だった。家族のつらさはなおさらだったろう。

父親は口数は少ないが好々爺《や》。母親は「本間さん、本当にうちの子がやったんかね」と切なそうに何度も問いかけた。いたたまれなかった。

刑事は外歩きの商売。事件の後、本来は犯人の家に行くいわれはないが、ちょっとでも力になりたいと思い、何度も通った。「変わりはないですか」と顔を出すだけだった。自動車業の店先の土間で、客が慰めに来ていた。

その後の刑事人生では全ての事件ではないが、凶悪事件であればあるほど、被害者はもちろん、事件を起こした側の家族の力になる必要があると心掛けた。

20日の夕刻に営利誘拐殺人の容疑で逮捕されたのは新潟市の自動車セールスマンで、23歳の山川真也容疑者。「忠臣蔵」の合言葉は「山」と「川」だった。容疑者が所有している車の、まさにプリンス・グロリアから、被害者の血液型と一致する血液反応が検出された。

被害者女性、折戸紀代子さんの遺体発見現場は、事件が起きた日は積雪でぬかるんでおり、現場に残っていたタイヤの痕跡もグロリアと一致した。その車の後部座席に、身代金を列車の窓から投げる目印にした赤い旗のような布きれが発見された。

容疑者は父親が経営する中古自動車修理工場で、セールスの仕事をしていた。被害者が乗っていたブルーバードは容疑者の男がかつて女性に売った車で、折戸さんと面識があった。

容疑者は「口のもつれ、あしのしびれなども訴えるので」(病院側の話)、17日から新潟大付属病院(今の新潟大医歯学総合病院)に入院していた。逮捕状は病院で執行され、新潟刑務所内の病室に移された。

21日の朝刊社会面には女性の母親が遺影を前に、差し出されたマイクで取材に答える写真が大きく掲載されている。自分は男とは2度ほど会っている、男から買った車はよく故障していた、男の名前を聞いてショックだったことなどを話している。

今の時代なら、容疑者が逮捕されても、殺到するメディアの取材に対して、被害者の遺族は「そっとしておいてほしい」となろう。気丈によく答えてくれたものだと思う。

本紙には「吉展ちゃん事件」で、いまだに行方が分からない男児の母親が手記を寄せた。折戸さんの母親に「強く生きていかれることをお祈りしたいと思います」と。

そして「二年間もこどもの帰りを待ちつづけている母親がいることもご想像ください」「これらの母親の行動が、やがて日本から誘かいなどという犯罪を絶対起こらせないようにする大きなしづえになることを祈りながら…」とつづっている。

「真相は次回公判で」

容疑者は取り調べに対して、徐々に口を開き始める。女性を殺害したことについては、声を出して泣いたり、「申し訳ない」と頭を抱え込んだりした。しかし、ほかの点ではっきりしていないことには、取調官に反抗的な態度を見せることもあった。

容疑者には同棲《どうせい》している28歳の女性がいた。この年の夏に結婚する予定だった。事件には謎の部分があった。被害者の兄と母親を新潟駅で呼び出した電話は、女性の声だったという証言があったことだ。つまり複数の人間が容疑に関わっていたという説である。

「電話は昭和大橋東側の公衆電話から、自分でかけた。共犯は絶対にない」と供述し、同棲相手が関与した疑いは薄らいだ。

電話の女性の声については録音技術の点で雑音が入ったり、駅案内には多くの電話が来たりするので、錯覚もあり得るとの線が出てきた。2月11日、新潟地検は身代金目的の拐取、身代金要求、殺人、死体遺棄の四つの罪で起訴した。

起訴後、山川被告は拘置所から担当刑事に長い手紙を書き、「申し訳ないことをした」「供述で、はぐらかして手間を取らせた」「償いを誠心誠意したい」と謝罪と覚悟の言葉を並べた。分厚い手紙で、石黒だけが見たという。

誘拐した本当の動機は何だろうかと、石黒は担当刑事と話し合った。男と同棲していた彼女は慎み深く、優秀な人で、被告は彼女に頭が上がらなかったらしい。「身代金を手に入れて、一旗揚げて、父から継いだ会社の事業を拡大して、彼女から尊敬されたい、彼女に自慢したいと考えたのだろうか」と2人で考えたと振り返っている。

初公判は3月22日、新潟地裁1号法廷で開かれた。起訴事実に対する認否について、被告は「次回に真相を述べる」と答えた。

5月30日の第2回公判で、一転して「被害者宅に電話は1回もかけていない、女性を殺していない」「(事件には)3人、自分を入れて4人関わったが、自分は脅されて車を運転しただけ」と陳述する。その後の公判で脅迫電話の録音テープの声が法廷に流れた。

新潟地裁で審理が進む中、7月4日に警視庁の「吉展ちゃん事件」の特捜班が32歳の男を営利誘拐などの容疑で逮捕した。

男児は荒川区のお寺の墓地から遺体で発見された。1966(昭和41)年、男には死刑判決が出て、67年に最高裁が上告を棄却し、71年12月に死刑が執行される。

独居房で自殺

1965（昭和40）年8月、担当記者の石黒は新潟日報白根通信部に異動になる。新潟の事件で逮捕された男が起訴された後、通信部に被告の母親から電話が来た。「石黒さんは真実を分かっているのでしょう。（息子は）犯人ではないですよね」と聞いたという。石黒は「母親はしょっちゅう、男と面会していた。息子を助けたい一心だったのだろう。しわがれた声だった。同じ電話がキャップのところにも来たそうだ」と語っている。

新潟の事件の論告求刑公判は、65年12月22日に開かれた。検察側は、犯行の動機は男が父親の会社の経営を継承し、拡大したいための金欲しさで身代金目的の誘拐を計画したとした。複数説は「全くのでたらめ。電話の女性の声は偶然の混線で、男が単独で実行した」と断じ、「改悛《かいしゅん》の情なし」と死刑を求刑した。

翌66年1月14日、事件発覚からちょうど1年になる日に弁護側の最終弁論が行われ、「単独での行為という証拠は薄い」と主張した。

そして2月28日、新潟地裁は〝単独犯行〟と認定し、裁判長の石橋浩二は男に死刑判決を言い渡した。71年5月に最高裁は上告を棄却し、新潟の事件も死刑が確定する。

死刑確定後から6年後の77年5月21日の朝だった。東京拘置所で独居房に収監されていた被告は部屋のガラスを割り、そのガラスの破片で首を刺して、自ら命を絶った。自殺の一報を聞いた本社のデスクは「石黒に知らせてやれ」と、当時は長岡支社に勤務していた石黒に被告が自殺したことをすぐに伝えた。

○　○

映画「天国と地獄」では「頑是《がんぜ》ない（＝あどけない）子ども」というセリフがあり、印象に残る。頑是ない子どもや女性が連れ去られ、殺害される事件は後を絶たない。当時の本紙の記者座談会には「自動車、電話、列車のような文明の所産が犯罪の道具になった」という言葉が出てくる。現代ではインターネットのサイトやＳＮＳなどを通じて、見知らぬ者を事件計画に誘うケースも多い。

事件は時代を映す鏡でもある。しかし、凶悪で卑劣な事件は絶対に許さない、弱者を守るという気構え、覚悟を捜査機関だけでなく地域、メディアも持って、必要ならば連携し、情報を共有しなければならない時代が来ている。

第8章　弥彦二年参り圧死事故

死者124人、100人近くが重軽傷、戦後最悪の群衆雑踏事故が1956（昭和31）年元日、二年参りの参拝客でにぎわう弥彦神社（弥彦村）で起きた。餅まきをきっかけに人の波が参道の石段付近で衝突、押し倒された人が次々に圧死した。3度にわたる正月の号外発行で本紙は惨状を伝えた。事故はなぜ起きたのか、防げなかったのか、警察の警備はどうだったのか。史上初めて群衆事故の責任を問う裁判が起こされた。雑踏警備の在り方が変わった。

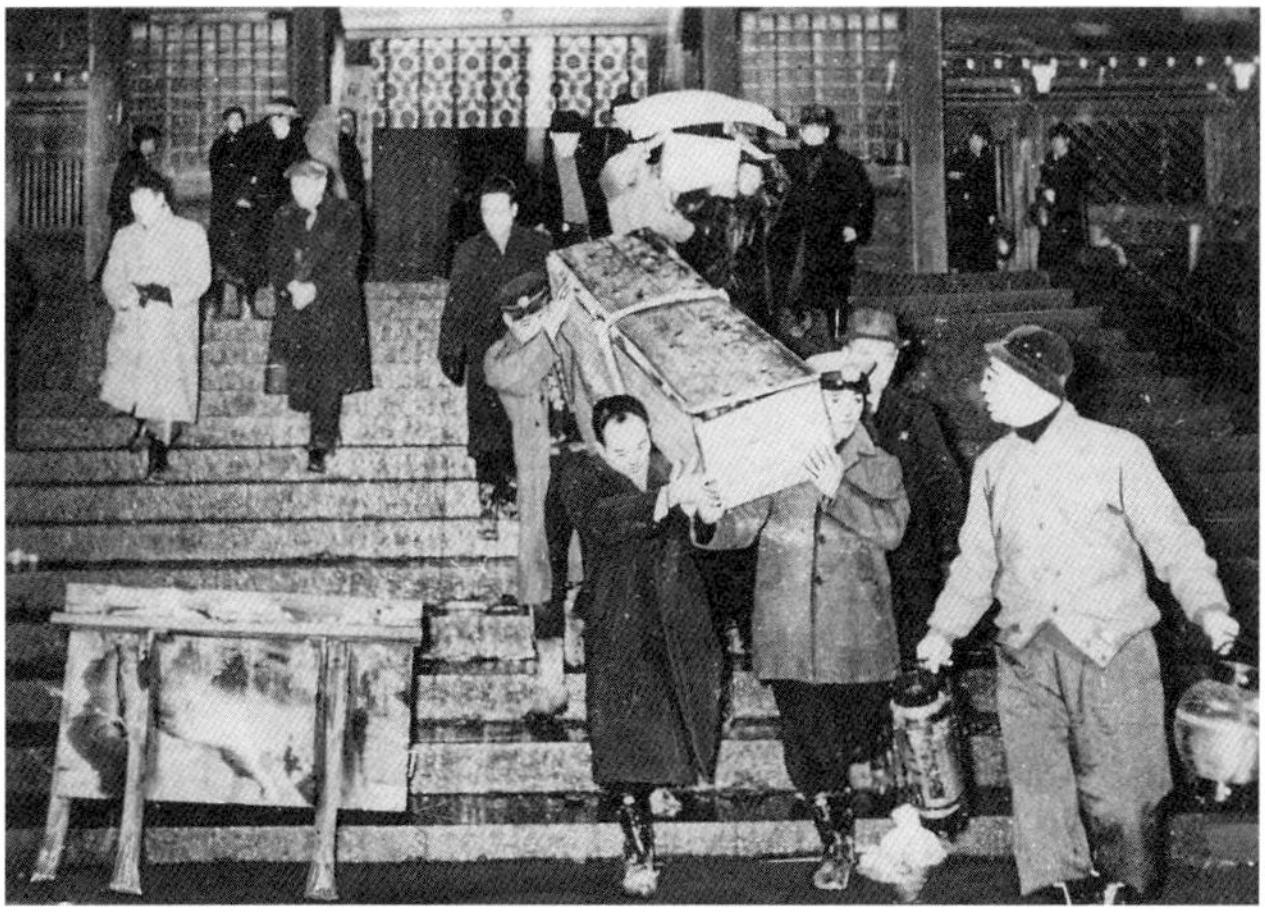

本殿に収容された遺体が棺に入れられ、家族の元へと次々に運び出された（1956年1月1日、弥彦神社）

地獄絵図

「3、2、1、明けましておめでとう」

平成最後の年、2019（平成31）年を迎えるカウントダウンが一斉に始まった。新年を祝う大合唱が響く。近年の弥彦神社ではおなじみの光景だそうだ。拝殿前の広場に集まっているのは2千人ほどだろうか。年配者は少なく、20、30代が多い。都会で繰り広げられる深夜のイベント会場にいるよう。酒が入って陽気に騒ぐ若者グループもいる。どの顔にも一年の幸せを祈る「善男善女」の笑みが浮かんでいた。

63年前の1956（昭和31）年も、今と同じように若者が集まり、こうして幕を開けたに違いない。

午前0時の花火の合図で、随神門《ずいじんもん》両脇にしつらえられたやぐらから、紅白の餅約2千個がまかれた。餅まきは数分で終了、広場の参拝客が帰ろうと動きだす。一方、参道にいた参拝客は餅まきの歓声を聞き、急いで広場を目指す。

数千という人の渦が随神門と直下の石段付近でぶつかった。15段の石段で将棋倒しになった人が折り重なった。その頭や体を人の足が踏みつけた。石段上の踊り場の玉垣が崩れ、落ちた人の上に人が落ち、さらに人が落ちた。事故が起きたことを知らない後ろの群衆が押し寄せた。照明が消えた。圧迫されて、立ったまま気を失う人が続出した。

地獄絵図とはこのことか。裁判記録にある17歳女性の証言が生々しい。

「後から押されて足が宙に浮いてしまい、胸が圧迫されて苦しくなってきた。（石段を）二、三段下りて押され前方にのめった。倒れた人が大勢重なっていたので下へ落ちたという感じはなかったが、私がのめると後の人も私の方に重なって倒れてくるので、下半身が人の間に挟まって息苦しくなってきた。私の下にも重なってべったり倒れており苦しい苦しいという声も弱まってきた。（知人に救出された後、見ると）石段の下の方や石段下側に人が一面倒れて死んでいた」

犠牲者124人の死亡原因は窒息、または頭蓋底骨折とされる。ただ犠牲者は親族に次々と引き渡され、死因の詳細は不明だった。駆けつけた地元医師は、後の取材で「圧死だけでは片づけられない」と述べ、徹底した検証が必要だと説いた。特異な事故であることは明らかだった。

事件を最初に知った本紙記者は、社会部入社2年目の藤崎匡史だった。事件記者にとって一年で最も気の休まるこの時間帯の出来事を、藤崎は92年の本紙企画特集でこう記す。

「年夜酒に酔いながら、午前一時ごろ、なんとなく予感がわき、県警の当直に入れた警戒電話が当たった。『日報さん、被害程度はわからんが、弥彦サマで大勢の参拝客が死んでいるらしいぞ』」

警戒電話とは、警察、消防などの取材先に1、2時間おきに電話し、事件事故が起きていないかを確認する取材方法だ。他社よりも先に発生を知り、現場に真っ先に駆けつけるため、大量の記者投入、締め切り延長といった判断や準備を編集幹部がするためである。

『新潟日報五十年史』によると、社会部長河内巽は自宅で若手記者たちと飲んでいた。午前2時すぎ、藤崎から連絡が入った。直ちに、数人の記者とカメラマンに自宅まで来るよう指示し、編集局長小柳胖に「現地へ飛ぶ」と報告。弥彦村を管轄する巻支局長と現地で合流することを確認すると、弥彦へ向かった。

総動員態勢

元日午前4時。社会部長河内巽、入社2年目の藤崎匡史ら本社記者団の第1陣が弥彦神社に着いた。

藤崎はこう記す。

「グルッと回ってみてあまりの凄惨《せいさん》さに仰天していても仕事にならない。心を落ちつけて片っぱしから関係者から話を聞いた」

一方、河内は号外発行を編集局長小柳胖に要請した。元日は新聞休刊日だったが「速報は号外が決め手の時代だった」(河内)。県内ではまだテレビ放送が始まっておらず、ラジオのみの時代、事件の発生を知らない人が多かった。参拝客が次々に神社を訪れたが、本殿まで進めず、鳥居付近で手を合わせて引き返していた。

本紙号外は元日に2回、2日には2ページの特別号外が発行された。元日の第2号外には、遺体が収容された本殿の写真とともに現場雑観が載った。

「遭難を聞きつけて、六十の坂を越したと思われる老婆が雨と涙でくしゃくしゃにぬれた顔で髪を振り乱し、子供の名でもあろうか、その名を呼びつづけながら拝殿の中へ入って行く。本殿内には七、八十名の死体が三、四列にならべられ、両手を胸に組み合せて仰向《あおむ》けに寝せられている。一瞬にして変った本殿内は遺族のすすり鳴きをこめて鬼気せまる」

犠牲者が履いていた多くの長靴が現場に残された（1956年1月1日、弥彦神社）

この頃、社会部記者の五十嵐幸雄は友人宅でラジオのニュースを聞いていた。ちなみに、事件発生は元日のトップニュース、アナウンサーの第一声に「おめでとう」がなく、口調の重苦しさが印象に残るという県民は多い。
「これは大変だ」。五十嵐にはちょうど3カ月前、新潟日報本社が焼失した1955（昭和30）年10月1日の新潟大火の記憶があった。
正月気分が吹き飛び、焼け残った本社新館に設けられた編集局に上がると、号外に備えて既に大勢が出社していた。
犠牲者の住所は、長岡市19人、三条市14人、燕市7人、栃尾市6人など9市10町16村（当時）に及んだ。近隣支局の記者は交代で正月休みを取っており、人手に余裕がなかった。「社会部

ラジオニュースで知った大事件

五十嵐敬吾・弥彦の丘美術館館長

1956（昭和31）年元日、暁暗の中、家族一同家を出て弥彦神社へ向かった。当時、私は27歳だった。一の鳥居から参道を通って随神門へ来ると、門がぴたりと閉じられていた。これまでに例のないことだった。係らしい人が「今日は事情があってお参りはできない」と言う。

不思議に思いながら家に帰り、ラジオのニュースで事件を知った。神社まで歩いて十分のところに住んでいながら、世間を揺るがす大事件が起きたことが分からなかったのだ。

拝殿は犠牲者の遺体安置所に化していた。神は「禍事《まがごと》は人智《じんち》がなした業」と照覧されていたのではないか。

事件は二年参りと呼ばれる混雑の中で起きた。除夜の鐘の鳴る前にお参りし、茶店などで休憩をとった後、年を越すのを待ってもう一度参拝する。

だが、神社のお膝元である弥彦の集落にはこの習慣はない。元日の朝、身を清めて神社に赴き、弥彦の神に年頭のあいさつをする。帰宅して家の神棚にお灯明を上げ、屠蘇《とそ》で祝うというのが習わしである。家人にも口を聞かず、神社に向かう途中、知人に出会っても会釈を交わす程度であいさつはしない。

旅館や土産物店は30日に年取りを済ませ、当日はもっぱら押し寄せる参拝客への対応にあたる。

こうした風習は、神領五百石、社家制度など弥彦神社の歴史の中で確立され、時代の変遷とともに変化してきた。

今年も歳末から新年三が日の参拝客は20万人を超え、にぎわいは続いている。

も政経部もない、総動員態勢だった」。デスクの上村光司は、本社に上がった記者を取材に送り出した。携帯電話やファクスはおろか、公衆電話すら普及していない。上村は本社に1人残ると、現地から読み上げられ、速記者が受けた原稿をさばいた。

五十嵐に遺族取材の指令が下った。相棒になった先輩は巻支局から異動したばかりの原田新司、土地勘があることが買われた。犠牲者の住所、氏名が判明してから出発、着いた時にはもう薄暗かった印象があるという。

「(遺族の家を訪ねると) 葬儀の用意をしている。近所の人がひそひそ話をしていた。『なんでこうなったんだろう』『あんな信心深い人が…』とか。(掲載用に) 顔写真を借りると、兵隊に行く時、少年団に入る時とか、記念に撮った写真が多かったな」

こう振り返る五十嵐は取材の合間、事件現場にも立ち寄っていた。

境内への立ち入りが制限され、参道からは進めなかったが、土地勘のある原田が脇道を案内して石段近くまで接近した。石畳にはまだ血の跡があり、時間がたって変色していたのを覚えている。

「二重橋の事件に似てますね」と五十嵐は原田に話し掛けた。

責任追及

1月2日発行の特別号外に「弥彦にて本社記者団発」の記事が載った。

参道には次々に棺《ひつぎ》が運び込まれ、結婚3週目の夫を失った妻が棺に伏して泣いていた…。拝殿には合掌の形に手を組んだ遺体が並んでいた…。記事は「百人を超える人達が死んでいる。あの全国を騒がせた二重橋事件さえ死者の数はこの八分の一にすぎない」と強い憤りを表した。

このころ、祭事やイベントなどに集まった群衆が巻き込まれる雑踏事故が相次いでいた。五十嵐幸雄が口にし、記事に引き合いにされた「二重橋事件」は、ちょうど2年前の1954（昭和29）年1月2日に発生した。皇居一般参賀の16人が死亡した事故だ。1人がつまずいたのをきっかけに、参賀者が将棋倒しになった。この日の参賀者は38万人にも達していた。

県内では、新潟市の萬代橋で48年8月23日、川開きの花火を見物していた100人余が、崩れた欄干から落下、11人が亡くなった。橋に滞留する群衆が寄り掛かる重みで、約40メートルにわたって欄干が崩壊したのだ。

両事件とも刑事責任を問われた者はいなかった。その記憶があったのだろう。特別号外の見出しは「この憤りをどこへ」。偶発的な不幸な事故に終わらせてはいけないと、取材陣は事故原因と責任の糾明に向けて動き出す。

『新潟日報五十年史』によると、関係者の無責任な態度と高圧的な対応にあって、取材は困難を極めた。記者団の第2陣を指揮した政経部長平山敏雄は、取材相手から「原因は参拝者が酒を飲んで、先を争って餅を拾ったためだ」と説明されると、激高して「犠牲者にすまないの一言も言えないのか」と迫ったと記述している。

発生直後の本紙は、事故の責任を①参拝客の誘導策や、餅まきの混乱防止策が不十分だった神社②スリやけんかなどの防止に重点を置き、境内の雑踏警備を軽んじた警察③参拝客向けの臨時便を増発し、神社の収容能力を考慮しなかった交通機関—に求め、検証を進めていく。

県警は県内各署員を総動員して約1万2千人から事情を聴き、約1千人の調書をとった。だが、捜査は新潟地検に引き継がれ、結論を出さなかった。県警も警備上の責任を問われかねないから だろう、と本紙は伝えている。既に県警本部長と警備部長が国家公安委員会から戒告などの処分を受けていた。

新潟地検は5月、神社の幹部4人を過失致死容疑で起訴した。被疑者17人のうち、警備の現場責任者だった当時の巻署長（依願退職）と神社職員8人の計9人は起訴猶予、警察官4人は嫌疑なしで不起訴だった。当時の検事正は「拝殿前の交通整理で、警察側は二次的立場」などと不起訴理由を説明した。

裁判史上初めて雑踏事故の責任を問う審理が8月、巻簡裁で始まった。被告の4人は「注意義務はなかった」と罪状を認めず、公判は40回を重ねた。60年7月、巻簡裁は全員無罪の判決を言い渡した。

有罪と無罪の分かれ目は何だったか。紙面に載った裁判長談話が判決のポイントを示している。「事故を予想できるかどうかは社会通念に従うほかなく、当時は、どのような場合に事故が起きるかという、具体的条件を把握することができなかった。つまり、不可抗力による災害とみるべきだろう」

学んだ教訓

1960（昭和35）年7月の無罪判決に対し、本紙は「生命は各自が大切に」との社説を掲載した。判決そのものへの評価はなかったものの、「一つ一つの事情を聞けば、なるほどとも思う。けれども、死傷三百を越えるこの事件を天災といえるか、いぜんとして疑問は残る」と書き残した。刑事責任を問えず、自分で身を守るしかない司法システムに疑問を投げ掛けたようにも見える。責任の追及は控訴審、上告審に委ねられた。東京高裁は64年2月、一審判決を破棄して罰金各5万円を言い渡した。この中で特筆すべきは、新聞報道が果たした役割が示されたことだろう。判決は二重橋事件や萬代橋事件などの雑踏事故の報道を引き合いにした。群衆が密集すると事故が生じる恐れがあることは「一般人の常識として公知の事実」と指摘したのだ。事故の予見性である。

事件の11年後、最高裁は67年5月に神社側の上告棄却を決定、有罪が確定した。記事は5段見出しの本記1本と神社のコメントだけ、事件は風化していた。日報抄は「世間はもちろん、被災遺族の方も忘れていただろう」と長期化する裁判を嘆いた。

大きな犠牲を払って得た教訓は何だったか。雑踏警備のあり方は大きく様変わりした。弥彦神社に限っても、二年参りの参道は一方通行になり、人の流れが滑らかになった。事故が起きた石段前では「団切り」と呼ぶ通行規制を実施し、拝殿前に向かう人数を制限している。

　惨事の翌年、57年1月3日朝刊に「平穏だった弥彦詣《まい》り」という現場ルポが載った。県警本部長以下150人の警察官が配備された警備の様子とともに、17歳の娘を亡くした石段で花を手向ける夫婦の話をこう記す。

現在、参拝路は一方通行となり、随神門の石段では警備担当者が誘導する（2018年12月31日）

「私達はまだ神様を信ずる気になれない。おまいりをしないで帰ります。去年もこうやって一方通行をやってくれたら死ななかったのに…」。突然の事故で家族を失うつらさは、消えることはないだろう。

　遺族への補償は56年8月に決まった。その柱は①1人当たり7万7500円の弔慰金支払い②遺族の子どもを対象にした育英資金制度の創設③慰霊碑の建立─。神社は社有林を伐採して弔慰金を捻出し、10月には弥彦村、日赤県支部、新潟日報社との共催で合同慰霊祭を営んだ。

　当時の水準からすると、弔慰金の7万円はかなり低かったが、遺族は不満を口にすることをためらったようだ。85年12月の本紙連載「神の前の惨事」で、当時の遺族会会長がこう明かす。

「遺族の中には、金だけを目的にゴネていると思われるのはイヤだという人もあり、年配者らは〝相手が神様では…〟と自制の念があり、神社側の誠意も認めて折れた」

事件を知る人は少なくなった。石段に合掌する人、立ち止まる人は見かけなくなった。それでも参道の延長線上、道路を隔てた公園に立つ慰霊碑に時折、花が供えられている。

密集した群衆が引き起こす雑踏事故、その危険性は今でこそ知られている。にもかかわらず、惨事は繰り返される。２００１（平成13）年に兵庫県明石市の歩道橋で、花火大会の見物客11人が死亡した事故は記憶に新しい。平成が終わり、令和の時代になっても、弥彦事件の教訓が古びることはない。

第9章　名立機雷爆発事故

終戦から月日を重ね、小さな漁村にも子どもたちの笑い声が響いていた。ようやく訪れた平和。だが戦争は、終わってはいなかった―。1949（昭和24）年3月、名立町（現上越市）名立小泊の漁港に漂着した機雷は、珍しい浮遊物を見に集まった幼子たちの命を瞬時に奪い去った。この責任はどこにあるのか。しかし国が連合国軍最高司令部（GHQ）の支配下にある中で、報道の追及もままならなかった。

地蔵尊の移転に伴って行われた機雷爆発の法要（2010年３月27日、上越市名立区）

一瞬で犠牲に

1949（昭和24）年3月30日。まだ浅い春の穏やかな夕暮れだった。名立町（現上越市名立区）名立小泊に1発の機雷が漂着した。午後5時23分。それが轟音《ごうおん》とともに爆発し、一瞬のうちに63人の命が奪われた。名立機雷爆発事故である。

機雷は漁港に入ると、岸に引き寄せられるようにすうっと進んでいった。磁気式で海岸沿いに建っていた鉄工場に引かれたのではないかという指摘もあるが、正確なことは分からない。

12歳だった冨沢梅野は岸からその異様な浮遊物を見た。「楕円《だえん》形でいぼいぼがあって。茶褐色で、ぷかぷかと流れに沿って浮いていた」と思い出す。

ジャガイモの植え付けの手伝いから戻ったところで、機雷が流れ着いたと友達に誘われた。「声をかけた子は『あの中に酒の一斗も入っていればいいがにな』って言って」。子どもたちはぞろぞろと海辺へ向かった。冨沢も3歳だった弟の利信をおんぶして、後に続いた。

終戦から間もない、娯楽もない時代である。見知らぬ漂着物に子どもたちの好奇心が刺激されても無理はない。

海では「危ないから向こうへ行け」と駐在所の巡査、中島彊が声をかけるのが聞こえたが、子どもたちはみな高波よけに築かれた3段の石積み護岸に立ち並んで、珍しい光景を見つめていた。

弟をおぶっていた冨沢は狭い護岸の上には立てず、少し離れて様子をうかがっていた。

「すごい音でしたね。ドンというより、ガーンに近いんではなかったでしょうか」。中島の長男、公も海岸から離れた道路にいた。そこから海は見えないが、父親が機雷の処理をしようとしていることは知っていた。中島は海軍で掃海艇に乗務した経験があり、機雷にも詳しかったという。

すさまじい爆音が響いた。真っ黒な煙が立ち上る。「これは大変なことになった」。公は父親の安否も確認せず、母親に知らせようと無我夢中で駐在所へ向かって走った。

冨沢は爆風に飛ばされ、しばらく気を失っていた。どれくらいの時間が過ぎたのか。意識を取り戻すと脱げた下駄を探し、一目散に家へ向かった。背中の利信は泣くこともなく、すやすやと眠っている。助かったと思った。

「おまえ、その血、どうしたんだ」。親にそう言われるまで冨沢は自分が頭にけがをしていることにも気付かなかった。何かの破片が頭をかすめたらしい。眠っていると思った弟の耳から血が流れていた。既に虫の息だった。

「機雷と言われても、それが怖いものであることさえあの頃は知らなかった」と冨沢は今も悔やむ。63人の犠牲者の大半は幼児から中学生までの子どもたちだった。小さな集落に、犠牲や被害のない家は、ほとんどなかった。

原因つかめぬまま

機雷爆発事故の第一報を、本紙は発生翌日の1949（昭和24）年3月31日の朝刊で、「機雷爆発　死者三十名　負傷者多数」という2段の見出しで伝えている。急きょ押し込んだ原稿なのか、記事は9行しかない。

破壊された住宅と警防団員（1949年4月1日本紙紙面から）

翌4月1日の紙面では9本の記事を掲載し、その全容を報じた。「名立町海岸で機雷爆発　一瞬吹ッ飛ぶ63名」「飛び散る手足や首大岩が家屋を押し倒す」「一家に四人の新仏」…。爆風で護岸にたたきつけられたり、機雷の破片で切り裂かれたりして、多くの子どもが無残な姿で亡くなった。海沿いの民家は軒並み戸や壁を爆風で吹き飛ばされた。

終戦からまだ間もなく、十分な物資もない時代だった。新聞用紙の不足も続いていた。日曜付だけは4ページの紙面を確保できるようになったものの、平日は表裏2ページのペラ1枚に、政治、経済、事件事故、小説、広告と、あらゆる情報が盛り込まれていた。

機雷爆発事故の記事には「綱島、丸山両特派員」と当時の記者の名前が刻まれている。糸魚川支局長だった綱島宏と直江津支局長だった丸山雄治と思われるが、両氏ともずいぶん前に他界し、当時の現場を知る人にはもはやたどり着かない。それでも1面しかない社会面の半分を機雷爆発事故で埋めた紙面からは異例の展開だったことが伝わる。

ところが、棺《ひつぎ》を堤防下に並べ合同で火葬をしたと翌2日の紙面で伝えて以降、事故の話題は影を潜める。機雷はどこの国のものなのか、なぜ多くの子どもたちが犠牲になったのか…。事故の原因や責任の所在を追及する記事も見当たらない。

紙幅を取れないことが影響したのかは分からないが、事故から3年後に糸魚川支局員として赴任した白川政雄は「私が支局員になった頃にはもう機雷事故は話題にも上らなかった」と証言する。

時代の空気をうかがわせるのは、名立町長だった細谷貞治が後にまとめた回顧録だ。細谷は会議のためにいた糸魚川町（現糸魚川市）で、機雷が爆発したと連絡を受けた。急いで戻ると、発生から1時間半以上たっているのに遺体の検分も始まっていなかった。「進駐軍（GHQ＝連合国軍最高司令部）の指図があるまで手をつけるなということであった」と回顧録にある。

翌朝には知事の岡田正平らが訪れ、遺族各戸に「線香1箱とひとり700円ずつ」の弔慰金を配り弔った。しかし細谷は「今ひとつ遺憾なのは…」として「米軍の立ち会いがなかったことだ」とつづる。「最初は来ることになって居《お》り、2度も駅に出迎えたが見えられない。（中略）…米軍の機雷だと想像されたものらしく、それが為《ため》来られなかったのではないかと思はれる」と書き残している。

ＧＨＱの占領統治下にある日本では、進駐軍の意向に逆らうことはできない時代だった。「やりきれない気持ちや怒りはあっただろうが、復興で県や国の力を得なければならない中で、それ以上責任を追及するのは得策ではないと思ったのではないか」。細谷の次男、中山冨士雄は父親の胸中をそうおもんぱかる。

戦後、新潟日報もまた進駐軍の影響を受けていた。ＧＨＱの新潟軍政部による検閲は機雷事故の５カ月前まで続けられていた。

語り継ぎ、報じる使命

上越市名立区名立小泊の名立漁港の構内にぽつんと小さなほこらが立っている。中には地蔵尊と、機雷爆発の地であることを伝える石碑が並び、花が供えられている。事故当時この場所は海中で「二つ岩」と呼ばれる岩があった。機雷は、この岩の付近で爆発した。

近くに住む安藤ミチ子は、ほこらの前を通るときにはお参りを欠かさない。機雷事故で４人きょうだいのうち、兄と弟、妹の３人を一度に亡くした。畑仕事の手伝いで離れたところにいた自分だけが助かった。

にぎやかだった暮らしはあの日で一変した。「きょうだいが骨になって、家ではしゃべることもない。両親が仕事で遅くなると一人で家にいるのが怖くて。ずっと玄関で待っていました」と記憶をたどる。

　学校では生き残った同級生たちと毎日のように哀悼歌を歌った。「…波に漂い打ち寄せし／機雷に失せし子らあわれ」。地元の巡査が書いた詩に、校長が曲を付けたものだ。慰霊の思いと教訓を胸にためた。

名立機雷爆発事件の現場付近に建つ地蔵尊（2014年２月３日）

　名立小泊にはもう1カ所、住民が心のよりどころにしている場所がある。集落の中ほどに、犠牲者をなぐさめる供養塔と「平和をまもる」と彫り込んだ石碑が並び立つ。節目にはこの場所で年忌法要が執り行われ、本紙もその都度、様子を伝えている。

　近くの寺の住職、高橋良弘は「名立の子どもを守り育む会」の会長として、機雷事故を後世に伝える事業に力を入れてきた。当時を知る関係者が少なくなる中で60年の節目には証言をまとめたＤＶＤを作製、発行した。「遺族がいれば法要も行われるから記憶は伝わる。だがもう事故から70年だ」と高橋は危機感をにじませる。

　２０１４（平成26）年には機雷事故が起きた3月30日を「名立・平和を願う日」に制定した。江戸時代の地震でこの地を襲った大規模な土砂崩れ「名立崩れ」と併せて地域の歴史を語り継ぐ。

上越教育大学教授の石野正彦も、埋もれた戦争の歴史を掘り起こし、伝えることが重要だと説く。「県内では長岡空襲は広く知られているが、直江津で空襲があったことや機雷が落とされていたという事実が地元の人にも意外と知られていない」と指摘する。戦時中で情報が統制され、軍事機密が保持されていたためだ。

「機雷爆発事故にしても、当時の子どもが機雷は危険だという正確な知識を少しでも持っていれば逃げることができたのに、知らないばかりに犠牲になった。なぜ新聞は正しい情報を伝えられなかったのか。そこが検証されなければならない」と語る。

子供を守り育む会の高橋は、教訓はこれからの時代に生きてくると考える。「今は戦争がなく平和でも、それがずっと続くとは限らない。常に危機意識を持ってアンテナを張っておくために、悲惨な歴史があったことを忘れてはいけない」と警鐘を鳴らした。

第10章　上越新幹線大清水トンネル火災事故

１９７９（昭和54）年３月20日。山岳トンネルとして当時「世界最長」といわれた上越新幹線・大清水トンネルの工事現場で火災が発生した。数年後に開業を控える中、火災の約２カ月前には、最新の技術を駆使した掘削で貫通を果たし、歓喜に沸いたばかりだった。群馬県側の保登野沢《ほどのさわ》斜坑の坑口からは煙が噴き出し、救出活動は難航。新潟県人３人を含む16人が亡くなった。なぜ火災が起きたのか。なぜ犠牲をもっと少なくすることができなかったのか—。本紙取材班は、そんないくつもの「なぜ」に突き当たりながらも、さまざまな苦難を突破し、報じてきた。国境の長いトンネルに懸ける執念は、越後人ならではのものだった。40年前の大惨事を改めて見つめる。

上越新幹線・大清水トンネル工事現場で発生した火災。保登野沢斜坑から煙が上がる（1979年３月21日、群馬県みなかみ町谷川）

歓喜からの暗転

ド、ドーン。ズ、ズズーン…。鈍い発破音とともに、新潟県と群馬県の間に大きな穴がぽっかりと出現し、風が日本海側から太平洋側へと吹き抜けた—。1979（昭和54）年1月25日。谷川岳直下の大清水トンネル（22・2キロ）が、ついに貫通したのだ。

「バンザーイ、バンザーイ…」。トンネル男たちが、涙を浮かべ、喜びを爆発させた。7年余の歳月、延べ150万人の作業員を投じてきた労苦が報われた瞬間だった。

スイスとイタリア国境のアルプスをぶち抜くシンプロントンネル（19・8キロ）を抜き、当時「世界一」のトンネルになった。

この貫通式を、六日町支局長として取材した伊藤肇栄は「当時はあちこちでトンネルが掘られており、いくつもの貫通式を取材したが、大清水は特別だった。ただただ『おお、すげえなあ。いよいよ新幹線で関東と結ばれるぞ』と感動していた」と振り返る。

六つの工区に分けて工事が進められてきた大清水トンネル。最後の貫通地点となったのが群馬県側の「保登野沢工区」と新潟県側の「万太郎谷《まんたろうだに》工区」だった。

難工事だった。谷川岳の直下の地形は複雑で、掘ったばかりの岩が山全体の圧力によって音を立てて飛び散ってくる「山はね現象」が発生した。

また、随所に水脈が走っており、突然噴き出す地下水にも悩まされた。とりわけ77年9月の出水は毎分35トン規模だった。この地帯を突破するだけで工事が半年近く遅れたこともあった。

現場の最前線では当時最新鋭の〝武器〟が活躍していた。「ジャンボ」と呼ばれた大型削岩機だ。長さ18メートル、高さ8メートル、重量130トン。前面に長いやりのような削岩機が取り付けられていた。岩盤を削り込み、そこにダイナマイトを詰めて爆破。この繰り返しによって、谷川岳をじわりじわりと掘り進めていったのだ。

「戦後の荒廃から高度経済成長を経て、オイルショックもあったが、幾多の困難を乗り越えてきた『技術大国ニッポン』の象徴の一つのように見えて、誇らしい気がした」と伊藤。

実際、工事を担った技術陣も「世界一の技術」と胸を張っていた。東海道新幹線や青函トンネルなど昭和時代を代表するいくつもの工事に携わった鉄道技術者で、元首相田中角栄に引き上げられる形で日本鉄道建設公団総裁を務めていた篠原武司も「土木史上の快挙」と感激を語っていた。

貫通式では「残る工事は、新幹線用レール敷きや電気関係設備の取り付けなど、仕上げだけだ」と、誰もがヤマ場を越えたと確信し、はしゃいだ。双方の工区の作業員たちによるたるみこし交換では、勢い余ってマスコミのカメラマンがはね飛ばされたほどだった。

だが歓喜から約2カ月後、事態は暗転。本坑内で、大仕事を終えた「ジャンボ」の解体作業中に、大火災を起こしてしまうのだ—。

今、伊藤は思う。「貫通を果たした自負心と安堵《あんど》感。そのことが、もしかしたら、残る工事での

『気の緩み』につながったのではないか」と。

発生の夜

あの夜。新聞休刊日前日で休みだった本紙長岡支社エリアの支局長たちは、小出支局管内である折立温泉（現魚沼市）の民宿に集まり、親睦を深めていた。六日町支局長伊藤肇栄、小出支局長山本一郎も休刊日ならではのくつろいだ気分で、懇意にしていた民宿のおやじさんも交え、酔いしれていた。

一方の群馬県水上町谷川（現みなかみ町）の保登野沢工区。県境からわずか70メートルほど群馬側の地点で、1979（昭和54）年3月20日午後9時半すぎ、火災が発生した。

約2カ月前に本坑が貫通した後、仕上げ作業の一つとして続けてきた「全断面掘削」が完了し、ようやく〝任務〟を終えた大型掘削機「ジャンボ」。これを撤収させるために、さびで外れなくなったボルトなどを酸素溶断機で解体する作業が始まっていた。この作業中に出た火花が、周囲に散乱していたおがくずに引火したのだった。おがくずには油などが染み込んでいた。

当時の本紙紙面、日本鉄道建設公団の工事誌、この工区の元請けだった前田建設工業の幹部が残した著書などによると、火災発生後の経緯は次のようだった。

燃え上がった炎を、作業員がジャンボに備え付けられていた複数の消火器で消火しようと試みたが、いずれも薬剤が噴出しなかった。本坑の貫通後、新潟側から群馬側に風が吹き抜けるようになった影響で、炎があおられて燃え広がった。

火災発生から約10分後。本坑内電話から、保登野沢斜坑の坑口近くにある前田建設の現地事務所に「火災発生」の第一報が入った。現地事務所は「状況が確認され次第、再度連絡するように」といった趣旨の指示を出して電話を切った。

現地事務所では当初「すぐに消し止められるレベル」と判断したのか、混乱したのか、結果的には関係各機関への通報が後手に回ってしまったとされている。警察などへの連絡は、火災発生から約1時間以上たってからだったという。

火災現場では、ジャンボ解体作業班の班員たちが消火に挑み続けていた。爆発による薬剤の散布を期待して消火器を炎の中に投入までしたが、効果はなかった。ついに午後11時ごろ、班のリーダーが「もう駄目だ、逃げろ」と班員たちに大声で伝えた。

本坑内には、ジャンボの解体作業班11人のほか、他の作業を担当していた班も含めると計54人が夜勤中だった。うち40人は自力で本坑から脱出することができた。だが14人は逃げ遅れていた。

同11時半ごろ。前田建設の現地事務所の職員2人が、新製品として配備されたばかりの酸素呼吸器を装着し、本坑内の様子を確認するために保登野沢斜坑を下りていった―。

日付が21日に変わった頃、ようやく警察などを通じ、本紙などマスコミ各社にも火災発生の報が入るようになったとされる。

21日未明に新潟市にある本社から六日町支局をはじめとする各支局へ電話を入れたが、どの支局長も民宿に泊まっていて不在。本社からの連絡を受けたある支局長夫人が、今度は民宿に何度も電話をしたものの、応答がなかったという。

「われわれも民宿のおやじさんもみんなで爆睡していた。痛恨の一夜」。伊藤と山本は口をそろえる。

空が薄青くなった頃、誰かが電話のベルにやっと気付いた。「一大事だ」。全員が飛び起き、ただちに役割分担をし、まず伊藤と山本の2人が社有車に乗り、国道17号で現場へ急いだ。

待ちわびる時間

1979(昭和54)年3月21日午前。国道17号は一応除雪されているとはいえ、40年前の当時、随所に雪が残り、さほどスピードは出せない。

大清水トンネル火災事故現場に社有車で向かう六日町支局長伊藤肇栄と小出支局長山本一郎は焦っていた。

出発前の朝、本社か長岡支社の上司から電話で伝えられた内容はこれだけだった。「大清水が火事。群馬側の斜坑から煙が出ているらしい。とにかく行け」

スマホもガラケーももちろんない時代のことだ。唯一の外部からの情報は、ラジオのニュースだった。時折、電波の具合で聞こえなくなった。発生から半日が過ぎたが、なお本坑に取り残されている作業員らが10人以上いるらしいということだけは理解できた。

そもそもどこが火災現場かさえ知らなかった。とりあえず、現場に近いとされる谷川温泉（群馬県みなかみ町）にある共同通信社の保養所を目指した。

昼ごろ、保養所に到着し、数分の間だけ〝居候〟させてもらった。しかし、既に共同通信の前線基地となっており、必須アイテムの電話回線が数本しかない中で、全ての回線をフルに使って共同の記者たちが鬼の形相で連絡を取り合ったり、原稿の電話読みをしたりしていた。「こりゃ駄目だ。ここにいても電話が全く使えず、仕事にならない」と伊藤。

火災発生後、保登野沢斜坑付近には安否を気遣う家族や報道陣らが詰め掛ける中、立入禁止のロープが張られた（1979年３月21日、群馬県みなかみ町谷川）

すぐに保養所を後にし、回線確保のため温泉街を回ると、小さな民宿が見つかり、運よく一軒丸ごと借りることができた。

現地取材班キャップとなった伊藤は、前線基地から早速、長岡支社と本社に電話を入れた。だが情報が錯綜《さくそう》していて、社有車のラジオなどで聞いた以上のことは、支社も本社もよく分かっていないようだった。

自前の前線基地を確保した伊藤と山本は、昼すぎに保登野沢斜坑の坑口近くにたどり着いた。煙が噴き上がっている。既に多くの消防や警察、工事関係者、報道陣らでごった返していた。そして閉じ込められている作業員の家族も全国から続々と駆け付けてきていた。

現場は群馬県側だが、地方紙としての本紙の役割について「県人に関する詳報、サイドだ。本記は共同通信に頼る」と2人は方針を確認し合った。

斜坑の坑口で伊藤と山本はまず、新潟県人の作業員や家族を探した。「新潟県の人はいませんかー」「新潟に関係する人はいませんかー」。むろん、どの工事関係者や家族が新潟県ゆかりかは分からない。片っ端から話しかけ、県人以外も含めて声を拾い続けた。

斜坑からの煙が衰えず、救助が進まないまま、時間だけが流れた。「早く助けてやってぇー」。夫の名を呼ぶ妻の叫びが、山本の胸に突き刺さった。

夕方までには、酸素呼吸器を装着して救助に向かっていた前田建設の社員2人が亡くなっていたことが判明。なお閉じ込められているのは14人で、うち3人が新潟県人であることも明らかになってきた。

山本は、県人3人の安否を気遣う家族が待機する谷川温泉の旅館に向かった。

長岡支社が「雑用係」として現地に派遣した入社3年目の同支社報道部渡辺隆は、山本とともに夜、新潟県人3家族の部屋を訪ね、正座で向き合って話を聞いた。

午後8時ごろ。山本らの取材に対し、ある家族の妻は「さっき斜坑の坑口近くに行ってきた。

私も煙の中へ飛び込んで助けてやりたかった…」とつぶやいた。

渡辺がノックした別の家族の部屋。親戚がふすまをほんの少しだけ開けてくれて、赤い目で「今はそっとしておいてください」。すき間からは夫の妻と母親が抱き合って泣いている姿が見えたという渡辺。「生存を待ちわびる長い、長い時間だった」と回想する。

家族も親戚も、そして記者も奇跡を祈ったが—。

遺体発見

閉じ込められた14人の救助活動は難航していた—。

3月20日夜に発生した大清水トンネル火災事故は、初期消火に失敗していた。

火元となったのは大型掘削機「ジャンボ」。生き延びた作業員の証言などによると、消火器は湿気の多い本坑内に長期間置かれていたこともあり、薬剤が湿気を吸って固化しており、噴出しなかったらしい。

さらに約2カ月前の本坑貫通後、気圧差で新潟側から群馬側へ風が吹き抜けるようになり、かつて湿り気があった矢板や枕木が乾いてしまっていたため、火は勢いよく燃え広がり、煙は速いスピードで群馬側へ流れていった。

火元から、群馬県側の出口（みなかみ町）までが約5キロ、一方の新潟県側の出口（湯沢町）までが約15キロだった。

トンネル火災では風上へ避難するのが鉄則。火元となったジャンボの解体作業班11人のうち7人は、距離はかなりあったが、風上の新潟側へと逃れ、助かった。1人は風下の群馬側へ向かったとはいえ、奇跡的に脱出できた。

ただ、班のリーダーら3人は、ぎりぎりまで消火を続けていたようで、ジャンボに近い地点で亡くなっていた。

救出のため群馬側と新潟側の両方の斜坑の坑口近くに、救出に向けた関係機関の拠点が置かれた。新潟側の湯沢町の坑口近くで待機していた一人で、魚沼郡広域事務組合で消防の小隊長を務めていた平賀功一は「当時は、トンネルのような密閉空間での大火災に関しては、ノウハウもマニュアルもほとんどなかった」と振り返る。

21日午前1時ごろ、湯沢側からの救助・偵察隊は、バッテリーカーで火元のジャンボを目指した。途中で作業員を救出し、さらに奥へ向かった。

新潟側の万太郎谷工区は既に岩盤の上にコンクリートを付ける作業が完了していたが、群馬側の保登野沢工区は未完了だった。このため県境から先はしばしば落石が発生しており、約70メートル先にあるジャンボには接近できなかった。同午前2時半前に、隊はいったん引き返した。

21日の朝になっても、群馬県側の斜坑から噴き出す煙の勢いが収まらなかった。群馬側から救助隊が入れない状況が続く中、新潟側から再び踏み込むことになった。

21日午前7時半ごろ、バッテリーカーで県境近くに再び到達。その先にあるジャンボ周辺の火は消えており、坑内は真っ暗になっていた。落石のような音だけが響いていた。二次災害の恐れがあると判断され、また戻らざるを得なかった。

新潟側の坑口付近で待機する平賀らは、各地から酸素呼吸器をかき集めるなどし、次の〝アタック〟に向けた準備に奔走していた。

火災現場に取り残された作業員を救助する隊が編成され、続々と保登野沢斜坑から入坑していった（1979年３月22日、群馬県みなかみ町谷川）

一方、群馬側斜坑からの救助活動が本格化したのは、煙が薄らいだ22日夜になってからだった。

大規模な救助隊が続々と入坑。しかし、火災発生から既に50時間以上が過ぎており、既に14人全員が死亡していた。23日未明までに12人が遺体で発見され、残る２人の遺体も24日夜に確認された。

犠牲者が最も多かったのは、火元のジャンボから数百メートル離れた地点で、コンクリート打設などの作業を担っていた人たちだ。「ジャンボ付近で火災が起きている」こと自体を知らないまま、突然、煙が新潟側から襲ってきたのだ。

中には、いち早く危険を察知し、風下ながらも群馬側へ幸運にも脱出できた人はいた。だが多くは何が起きているのかすら分からないまま、煙に追いつかれてしまったのだ。ほとんどが焼死というよりも一酸化炭素中毒死。新潟県人３人もまた、そうだった。

出稼ぎ

「残念です。遺体で見つかりました」。３月23日午前０時すぎのことだった――。20日夜に発生した大清水トンネル火災事故。閉じ込められていた新潟県人３人の家族は、谷川温泉（群馬県みなかみ町）の旅館で待機を続けていた。寄り添うように本紙記者たちも、家族の取材を続けていた。

安否が分からない段階だったが、22日夜になると、ある家族の妻は「もう駄目でしょうね。早く、はっきりさせてほしい」と気丈に語ってもいた。

だが、日付が23日に変わった直後、前田建設工業の担当者から「全員死亡」の事実が告げられると、家族たちは覚悟していたとはいえ、張り詰めていた気持ちがどっと崩れ落ちて、悲しみに変わった。

いちるの望みが断ち切られ、家族の部屋からは、すすり泣きが聞こえてくる。

この様子をザラ紙の原稿用紙に書きなぐり、「電話読み」とファクスで本社に連絡し、23日付朝刊に突っ込んだ。社会面の見出しは「『もしや』の願い通ぜず」。

犠牲者は、救助に向かう途中で亡くなった2人を含めて16人。うち12人は東北や北陸の寒村などからの「出稼ぎ」労働者だった。本県の3人もそうだった。

遺体が発見される前、東北地方の山間部にある町役場の課長は「今年こそ出稼ぎ事故ゼロを願っていました。出稼ぎをしなくてもよいまちづくりが目標なんですが…」と話していた。実際、働いていた人も「落盤などの危険はあるが、辛抱すれば、普通の出稼ぎの2、3倍は稼げるから…」と苦しい胸の内を語っていた。

過疎集落からの出稼ぎ。高い日当と背中合わせの危険があるトンネル工事──。これが現実だった。

23日朝までに、トンネルから運び出されてきた遺体は、安置所になった旧水上町の観光会館に到着した。

紫雲寺町（現新発田市）の海辺の集落から来ていた男性は、21日が26回目の誕生日となるはずだった。妻が5歳の長女と2歳の長男を連れてきていた。事情が分からないまま、あどけない表情で椅子や母親の膝の上にちょこんと座っていた。

鹿瀬町（現阿賀町）の20戸に満たない集落出身の52歳の男性は、火災発生の数日前にお土産を抱えて自宅に戻っていた。再び現場へ出掛けていった日の夜に、帰らぬ人となってしまった。

火災事故で犠牲となった県人の遺骨が、家族に抱かれて故郷に戻った。静かな出稼ぎの集落は悲しみに包まれた（1979年３月24日、新発田市）

新発田市の山あいの集落出身の52歳の男性も、火災の10日ほど前に実家に顔を見せていた。その際、家族に「春耕時だからもう帰ってきたら…」と言われると、男性は「もう一度だけ、現場に残した仕事を終わらせてくる」と言い残し、再び現場へ出掛けていったという。

長岡支社報道部員だった渡辺隆は、安置所の玄関でのことが忘れられない。

雨と泥でぐちゃぐちゃになっていた渡辺の姿に気付いた関係者が「長靴の泥だけ払い落としたら、中に入ってください」と小さく声を掛けてくれたという。「手を合わせながらいろいろなものがぐっと込み上げてきた」と渡辺は振り返る。

事故と教訓

「繰り返すな怨念と悲しみ　現地記者座談会」。1979（昭和54）年3月24日付朝刊の特集記事の見出しだ。

20日に発生した大清水トンネル火災事故。本紙記者たちが群馬側の現地から連日、朝刊、夕刊に記事を送り続けた。23日に新潟県人3人を含む16人全員死亡が発表されたことを受け、火災発生から救出活動に至るまでの間に、記者たちが感じてきた悲しみや悔しさ、そして疑問などをぶつけたものだ。

この記事をまとめたのは、本社から現地に応援に入っていた報道部の西田忠邦だ。「座談会」と題したが実際には、取材班全員が前線基地で一堂に会し、車座で語り合ったのではない。

全国紙は現地へ10人単位で記者を続々と送り込んでいた。一方の本紙取材班のペン記者は5人ほどで、それに写真記者と機報担当者という少数部隊。常に手分けしながら、群馬県警による定期的なレクチャーのある保登野沢斜坑の坑口付近や、家族らが控える旅館、安置所などを往来していた。全員が同時に集まることは難しかった。

そこで西田は、原稿の電話読みや写真電送のために前線基地に帰ったときや、各現場で合流したときなどに同僚記者が口にしていたことをメモに積み上げ、座談会に仕上げた。

この記事には取材班一人一人の思いがにじんでいる。「遺体発見まで50時間もかかっている。家族の不安は募る一方で、押し黙っている表情からそれが感じられた」「5歳の娘はおそらく父の死を実感として分からないだろう。だが母の涙に何かを感じたはずだ。『お母ちゃん、泣いている』の言葉が耳に残っている」…。

カット見出しは「甘過ぎた保安・防火」。この記事では、今回は工事中のトンネル火災だったが、もし新幹線開業後に同じようなことが起きたら―との根源的な問いも投げ掛けている。

現地取材班キャップを務めた六日町支局長伊藤肇栄は、鉄道火災に人一倍、警戒の念が強かった。二つの事故の記憶があるためだ。

一つは、72年11月6日に北陸トンネル（福井県）内で発生した急行「きたぐに号」の火災事故だ。食堂車から出火し、新潟県人を含む計30人が亡くなり、700人以上が負傷した大惨事だった。伊藤のいとこの女性も乗り合わせており、一時重体となった。

この事故を受け、旧国鉄などは、車両の難燃化、トンネル内照明の確保、火災時の対応に関するマニュアルの見直し――などの対策を打ち出した。伊藤は、当時の鉄道関係者が「万全の対策をした。これで大丈夫」と胸を張っていたことを覚えている。

もう一つは、77年7月15日に発生した上越新幹線・湯沢トンネル（現南魚沼市）工事現場の火災事故だ。

ガス切断機で鋼材を切断中に、火花が現場に散乱していたセメント袋に飛び、燃え広がった。作業員37人が、煙が充満するトンネル内に7時間も閉じ込められたが、運よく工事用コンプレッサーが作動して外部から空気が送り込まれたこともあり、全員無事だった。

出火原因は、大清水トンネルのときと似ている。

湯沢の事故を受けた社説（77年7月17日）は「新幹線建設工事事故の教訓」と題し、こう指摘していた。「原因は安全教育の不徹底、不明確な責任体制…」「新幹線工事は大手会社が技術の粋を競う場。しかし現場では出稼ぎ者が熟練を要する仕事に従事する…」。その1年8カ月後に発生した大清水トンネルでの大惨事を予言するかのように、工事現場の保安体制不備の解消を求めていたのだ。

伊藤は、大清水トンネルで火災が発生してからずっと疑問に思っていた。「湯沢トンネル火災をはじめとする過去の事故の教訓は本当に生かされたのだろうか」と。

慰霊

「事故が発生すると『想定外』とし、『二度と起こさない』と誓う。そして教訓を基に対策を練り、対策を施したとするが、また事故が起きると『想定外』と言い、再び対策を練る…。人類は、この繰り返しではないだろうか」――。

大清水トンネル火災事故で現地取材班キャップを務めた伊藤肇栄は、40年前も今も、こう考え続けている。

事故が発生した工区は、前田建設工業（東京）の担当だった。当時の社長・二代目前田又兵衛は「このようなことが繰り返されれば、俺の命はないものと思え」と低い声でうめいたという。二代目の息子である三代目又兵衛は著書に、この火災事故について「当社の最も悪い体質が吹き出した」「最悪の部分の顕在化だった」とつづっている。

事故後、元請けである前田建設の現場監督や、下請け会社の幹部ら計3人が、業務上失火と業務上過失致死傷の罪に問われた。裁判の経過は、群馬県の地方紙・上毛新聞が詳しく報じてきた。1982（昭和57）年5月10日には、前橋地裁が、3人に執行猶予付きの禁錮刑を言い渡した。

前田建設工業の広報担当によると、事故を教訓に「安全十戒」を定め、現在も全現場の朝礼で唱和しているという。

また、トップから末端まで組織全体として、安全で質の高い仕事に向けた目標を定めた上で日々実践していく「総合的品質管理」（略称TQM＝トータル・クオリティ・マネジメント）の理念を導入。それに沿った手法や技術を関連会社も含めて展開しているという。

「大清水トンネル」と題した社員向けの安全教育用の映像がある。前田建設が、事故時に撮影したフィルムや、当時現場にいた職員らの証言、CGなどを加えて大惨事を再現したものだ。この映像を通じ、さまざまな教訓を若い世代に伝え続けているという。

新幹線建設の指揮を執った日本鉄道建設公団（現鉄道建設・運輸施設整備支援機構）も事故後、警報設備の拡充、消火設備の改善、避難訓練の定期的な実施─などの対策を施した。

82年11月15日の上越新幹線開業を約1カ月後に控えた10月19日、湯沢町の城平霊園で殉職者慰霊祭がしめやかに執り行われた。約10年間の上越新幹線建設で失われた命は、大清水トンネル火災事故での16人を含めて計95人。全国から遺族らが集まった中、同公団総裁の仁杉巖は「再びこのような殉職者を出さぬよう努力を重ねる」と追悼の言葉を述べた。

霊園は、大清水トンネルの湯沢口の近くにある。式典の最中には、試運転を重ねている新幹線の車両が何本も駆け抜けていった。

越後人の情熱

1982（昭和57）年11月15日。谷川岳直下を大清水トンネルで貫き、日本海側と太平洋側を結ぶ大動脈、上越新幹線がついに開業した。新潟駅から当初は大宮駅までだったが、今は東京駅までつながり、最速97分で結んでいる。

川端康成の小説「雪国」冒頭の「国境の長いトンネルを抜けると…」は、31年に開通した在来線の上越線・清水トンネルをイメージしたものとして有名だ。

この「国境のトンネル」に、越後の人々が注ぎ続けてきた情熱—。これは、太平洋側の住民には理解しがたい、ともいわれる。

1880年代から上越線敷設の意義を提唱した岡村貢。塩沢町（現南魚沼市）出身の代議士で、典型的な「井戸塀政治家」だった。代々庄屋だった家の資産をすりつぶしながらも、着工を夢見て奔走した。

岡村が設立した鉄道会社は1901（明治34）年に破綻してしまった。だが岡村の意思は次世代に引き継がれた。そして岡村は上越線敷設の着工を見届け、22（大正11）年にその生涯を閉じた。

国境のトンネルに注ぐ情熱の系譜には、元首相田中角栄が連なる。田中は、国道17号の三国トンネル、上越線複線化の新清水トンネル、上越新幹線の大清水トンネル、関越自動車道の関越トンネルを次々と着工させていった。

上越線開通30周年の節目となった61（昭和36）年。戦時中に軍の要請で供出されていた岡村の銅像が国鉄石打駅（南魚沼市）前に再建された。

除幕式には、自民党政調会長として日々多忙だった田中も出席し、銅像前で「岡村翁は上越線開通の大恩人で、郷土の交通、文化、産業、経済の開発進展に尽くされた…」とたたえた。

大清水トンネルの保登野沢斜坑。現在は新幹線が走り抜けるたびに、本坑から押し出された空気によって鉄扉が音を鳴らす（2019年）

そんな田中は、開業した上越新幹線に乗車していた際、大清水トンネル内での別の「火災事故」に遭遇したことがある。83年3月20日。くしくも4年前に大清水トンネルの工事現場で火災が起きた日だった。

県議選が迫る中、県議候補の応援で加茂市に向かうために田中が乗車していた「あさひ153号」。大清水トンネル内で車両下部のモーター付近から発煙。トンネルを抜けて停車した越後湯沢駅で火を消し止めた。けが人はなかった。ブレーキ関係の部品が過熱したのが原因とされる。

「せっかち」で有名な田中。だが、このアクシデントに遭っても、鉄道の現場で働く人々を思いやり、不満を口にすることもなく、淡々と在来線急行佐渡号に乗り換えたという。

当時長岡支社報道部キャップだった高橋道映は「田中は現場の人たちへの真の優しさがあった。自身も土木建設の現場作業員からたたき上げてきただけに、さまざまな工事などで犠牲になった方々を悼む気持ちが人一倍あった」と述懐する。

世の中には、工事による死亡をゼロにするために「難しい工事はやめるべきだ」という意見を持つ人がいるかもしれない。

ただ、田中は違った。「目標に向けて難工事を進めること。一方で、技術を向上させながら現場の安全性を高め、作業員を守ること。一見、正反対のような二つの命題を両立させようとするのが田中の真骨頂だった」と高橋は語る。

上越新幹線大清水トンネルの工事現場での火災発生から丸40年となった。

本坑から16人の遺体が運び出されてきた保登野沢斜坑（群馬県みなかみ町）。坑口のそばに16人の供養塔がある。毎年3月20日前後には全国の関係者が訪れ、周囲の草を刈ったり、花を手向けたりしている。

現場近くのスキー場に長年勤めている須藤忠は、事故発生時の様子を覚えている。「あの斜坑が煙突のようになり、煙が上がっていた。新潟県をはじめ全国から集まっていた出稼ぎの方が多く亡くなってしまったと聞き、気の毒で、気の毒で…」

斜坑は現在、本坑の保線作業などの通用口であると同時に、「万一」の際の非常口ともなっている。普段は鉄扉で閉ざされている。

疾走する新幹線がトンネルに突入するたびに、本坑内から斜坑へ、さらに外へと押し出されてきた空気によって鉄扉が「ギ、ギッ、ガチャン、ドンッ」と音を鳴らし始める。鉄扉の隙間からは勢いよく空気が吹き出てくる。そして通り過ぎた後には、逆に、鉄扉は空気とともに本坑内へと吸い込まれるようになり、「バンッ」と大きな音を響かせる。

上越新幹線の心臓部・大清水トンネル。毎日何度も響くこの鉄扉の音は、大動脈に血液を送り続ける鼓動のようにも聞こえる。

供養塔で手を合わせた須藤は語る。「火災で犠牲になった方々をはじめとするトンネル男たちが、懸命に掘り抜いてくれたからこそ、今の新幹線と大清水があるのだと考えております」

あとがき

事態がどの方向に向かうのか見当もつかない段階から新聞記者は走りだし、一つ一つの言葉や事実を積み重ねて事件の全体像に少しでも近づこうと格闘する。苦労が報われることもあれば、徒労感ばかりが募る苦い幕切れもある。現場を右往左往して夢中でもがいた日々にいったん区切りがついたしばらく後になって初めて、事件を生んだ時代の土壌に思い至る。事件がその時代に刻んだ爪痕に気が付く。「ゼア・アイ・ワズ（そこに私はいた）」。大先輩の記者の口癖だったこの言葉に込められているのは、新聞記者であることの覚悟と誇りそのものだろうと思う。

本書は新潟日報１４０年を節目として２０１７（平成29）年に刊行した「川を上れ　海を渡れ」の続編となるものである。前作は新潟の戦後史と新潟日報の報道を記者の証言をもとにたどった。そこに取り上げた10分野は、「政治─田中角栄の光と影」「原発─神話との戦い」「拉致─めぐみを返して」「災害─復興へ　不屈の魂」をはじめとして、新潟のこれまでの歩みと未来を語るのに欠かせないものばかりである。その時々の社会の動きと出来事を書き留める意義は大きかったと考えている。同時に、ほとんど初めて明かされた取材の裏話や、時に憤り、涙を流し、惑い悩む生身の記者たちの姿が読者の心を捉えたようだ。多大なご支持をいただいたことに感謝するばかりである。

その厚みと広がりの大きさから前作の10分野には入れようにも入れられなかったのが、戦後の事件史だった。「川を上れ　海を渡れ」の2作目となる「事件編」は、誰もが忘れられない、忘れてはならない大事件・大事故を10件選んだ。

所収のどれをとっても、すべて戦後の新潟を大きく揺さぶった事件である。現役の記者が自身の当時のメモをめくり返し、あるいはそれを取材した記者を訪ね歩き、また、関係者に再取材を重ねるなどして書き下ろした。

古い事件であればあるほど、資料は散逸し、人の記憶は薄れ、証言者は少なくなっている。当時の新聞紙面が重要な出発点であることは間違いないが、それだけでは事件を再構成するには足りない。記事の行間を埋める地道な作業に時間を要した。それぞれに日常の業務の傍ら進めた作業でもあった。

流した汗のかいがあったかどうかは、読者の判断に任せるしかないことである。しかし、この「事件編」でも、地方に生きる新聞社、新聞記者の意地と気概は示すことはできたという自負がある。また、少なくとも、戦後新潟の一断面を改めて記録する役割を果たせたのではないかと考えている。

手元のメモを見下ろす目が涙で曇り、ペンが止まる。取材者はどんなときも感情に流されてはならないと肝に銘じたつもりだが、どうにもならない。そんな経験は記者を長くやっていれば必ずあるだろう。事件取材ならばなおさらだ。理不尽や悲惨に向き合い、深い悲しみや怒りを覚える。取材先からの拒絶や罵倒は日常茶飯事といえる。そんな中で立ち止まってはいけないのが事件記者だ。

支えてくれているのは、私たちの報道に期待し新聞を読んでくださっている読者、県民からの信頼であるのは言うまでもない。その信頼を裏切ることがないよう、過去の経験から学び、前進するつもりだ。「川を上れ　海を渡れ」を、そのための一里塚としようと思う。私たちの考える地域・地方ジャーナリズムの原点を見詰め続けたい。

本書の刊行に当たり取材にご協力をいただいたすべての皆さまに心から感謝を申し上げます。また、出版を担当した新潟日報事業社には再三の作業の遅れに対応していただき改めてお礼申し上げます。

なお、文中に登場する方々の肩書は当時のままとし、敬称は省略いたしました。

２０１９年11月

新潟日報社取締役編集制作統括本部長　服部　誠司

『川を上れ 海を渡れ』事件編　関係年譜

新潟日報の発祥につながる日刊紙の新潟新聞が創刊されたのは1877（明治10）年4月7日。81（明治14）年には北越新報の前身の北越新聞、83（同16）年には高田新聞が創刊された。その後、県内には多くの新聞が誕生した。しかし、日中戦争下の1940（昭和15）年に17紙に統合され、その後、新潟新聞（新潟市）、新潟毎日新聞（同）、北越新報（長岡市）、越佐新報（同）、高田新聞（上越市）、高田日報（同）の6紙となった。さらに41年までに新潟日日新聞、新潟県中央新聞、上越新聞の3紙となり、1942（昭和17）年11月1日、国の1県1紙政策の下で3紙が統合され、新潟日報が創刊された。

新潟日報創刊以降の本紙と新潟県にかかわる主な事件・事故・災害を年表にまとめた。

新潟県内の主な事件・事故・災害など

1942（昭和17）年

11月1日　新潟日日新聞、新潟県中央新聞、上越新聞が統合し「新潟日報」創刊

1944（昭和19）年

9月1日　新潟日報社初代社長・小柳調平死去。新社長に坂口献吉（10日）

1945（昭和20）年

3月2日　北陸本線名立～谷浜間で雪崩が列車を直撃。8人死亡

4月16日　五泉町（現五泉市）で大火。焼失家屋799戸、1人死亡

8月1日　長岡市空襲で全市の8割約1万2千戸焼失、死者1488人。新潟日報長岡支社も全焼

1946（昭和21）年

5月8日　村松町（現五泉市）で大火。1155戸焼失。3人死亡

7月30日　柿崎町（現上越市）で大火。362棟焼失

1947（昭和22）年

4月15日　新潟県の初代民選知事に岡田正平氏当選

国内・世界の動き

1942（昭和17）年

5月　翼賛政治会結成

6月　ミッドウェー海戦

1944（昭和19）年

6月　連合国軍が、ノルマンディー上陸作戦

1945（昭和20）年

3月　東京大空襲

8月　広島（6日）、長崎（9日）に原爆投下
「戦争終結の詔勅」放送（15日）

9月　GHQがプレスコード指令（新聞統制）

12月　第1次農地改革

1946（昭和21）年

5月　極東軍事裁判開始

7月　社団法人日本新聞協会設立

1947（昭和22）年

5月　日本国憲法施行

１９４８（昭和23）年
8月23日　萬代橋（新潟市）の欄干が崩れ花火観衆が信濃川に転落。11人死亡
１９４９（昭和24）年
3月30日　名立海岸（現上越市）で浮遊機雷爆発。死者63人
１９５０（昭和25）年
9月3日　小千谷市の国鉄電化工事トンネルで落盤事故。45人が死亡
１９５３（昭和28）年
12月10日　内野町（現新潟市西区）で大火。約２５０戸焼失
１９５４（昭和29）年
2月5日　土樽村（現湯沢町）山中に米海軍機が墜落。死者１人、負傷者２人
3月26日　府屋（村上市）の大府鉱山で坑道が陥落し５人死亡
１９５５（昭和30）年
10月1日　新潟大火。９７２戸が全半焼し、新潟日報社屋も焼失
１９５６（昭和31）年
1月1日　弥彦神社（弥彦村）の二年参りで将棋倒し事故。１２４人が死亡
7月　下越中心に豪雨。死者・行方不明者13人
１９５７（昭和32）年
2月13日　湯之谷村（現魚沼市）で雪崩が相次ぎ発生。計９人が死亡
4月2日　分水町（現燕市）で大火。３７８棟焼く
12日　津南町の日曹炭坑で地滑り。19人死亡
14日　柏崎市で大火。１１４戸焼失

１９４８（昭和23）年
6月　昭和電工疑獄事件
福井地震発生。死者３７６９人
１９４９（昭和24）年
11月　湯川秀樹氏に日本人初のノーベル賞（物理学賞）
１９５０（昭和25）年
6月　朝鮮戦争始まる
１９５１（昭和26）年
9月　対日講和条約、日米安全保障条約締結
１９５３（昭和28）年
2月　ＮＨＫ東京テレビ局がテレビ放送を開始
１９５４（昭和29）年
3月　第五福竜丸が米国のビキニ環礁水爆実験で被ばく
9月　洞爺丸事故。死者・行方不明者１１５５人
１９５５（昭和30）年
11月　保守合同により自由民主党結成
１９５６（昭和31）年
5月　水俣病公式確認
12月　日本が国連加盟
１９５７（昭和32）年
10月　日本が国連の安全保障理事会非常任理事国に
ソ連が世界初の人工衛星打ち上げ成功
１９５８（昭和33）年
12月　東京タワー完成

１９５９（昭和34年）

7月9日　県境の谷川岳で燕市のグループがクレバスに転落。５人死亡

１９６１（昭和36）年

1月　豪雪で国鉄ダイヤ大混乱。県内で大雪による死者多数（36豪雪）

2月2日　長岡市の川西地区で地震。死者５人、住宅全半壊７３８戸

8月5日　県内一帯に集中豪雨。死者21人、行方不明者４人

9月16日　台風18号の影響で県内に被害。死者36人、家屋全半壊約２万戸

12月7日　北村一男知事の病気辞職に伴う知事選で塚田十一郎氏当選

１９６２（昭和37年）

1月30日　新発田市の電源開発現場で雪崩。作業員９人が死亡

3月16日　栃尾市（現長岡市）中野俣で地滑り。民家２戸が全壊し６人死亡

１９６３（昭和38）年

2月1日　豪雪のため新潟県が災害救助法発動（38豪雪）

3月16日　能生町（現糸魚川市）で山崩れ。北陸本線の列車が転覆し死者・行方不明者４人

１９６４（昭和39）年

6月16日　新潟地震発生。新潟市を中心に被害大。死者26人

１９６５（昭和40）年

1月13日　新潟市で女性デザイナー誘拐殺人

2月11日　新潟地検が女性誘拐殺人の男を殺人など４つの罪で起訴

6月12日　新潟大医学部が阿賀野川下流の有機水銀中毒（新潟水俣病）を発表

10月20日　県議９人が塚田十一郎知事から贈られた現金を返却（20万円中元事件）

12月22日　20万円中元事件で新潟地検が４県議を公選法違反（被買収）の容疑で逮捕

１９５９（昭和34）年

9月　伊勢湾台風の死者・行方不明者５０４１人

１９６０（昭和35）年

1月　新安保条約・日米地位協定調印

１９６１（昭和36）年

4月　ソ連が有人衛星打ち上げ成功。初の宇宙飛行

6月　農業基本法公布・施行

8月　東独が東西ベルリンの境界に壁

１９６２（昭和37）年

10月　キューバ危機

１９６３（昭和38）年

11月　ケネディ米大統領暗殺

　三井三池三川炭鉱でガス爆発。４５８人死亡

１９６４（昭和39）年

10月　東海道新幹線が開通

　オリンピック東京大会開催

１９６５（昭和40）年

2月　米軍が北ベトナムを襲撃（北爆開始）

6月　日韓基本条約を調印

１９６６（昭和41）年
２月12日　塚田知事が辞意を表明
　28日　新潟地裁が女性誘拐殺人の男に死刑判決
３月18日　大和町（現南魚沼市）浦佐スキー場で地滑り。８人死亡
４月11日　20万円中元事件で新潟地検が塚田知事と自民県議42人を不起訴処分
５月８日　塚田知事辞職に伴う知事選で亘四郎氏が当選
７月17日　下越を中心に豪雨被害（７・17水害）。死者・行方不明３人、倒壊・流失家屋１９４戸
８月８日　柏崎市の花火工場で18棟の工場・倉庫が爆発。２人死亡、14人重軽傷

１９６７（昭和42）年
４月18日　阿賀野川の有機水銀中毒は昭和電工鹿瀬工場の排水が原因と厚生省が発表
６月12日　新潟水俣病の患者が昭和電工を相手に損害賠償請求訴訟
８月28日　８・28羽越水害が発生。死者96人、行方不明38人
12月15日　柿崎町（現上越市）沖でパナマ貨物船キーナン号座礁。１人死亡４人行方不明

１９６８（昭和43）年
５月12日　見附市で大火。73棟が全半焼

１９６９（昭和44年）
４月26日　広神村（現魚沼市）で地滑り。８人が死亡・行方不明
11月22日　新潟地検が隊内で反戦ビラを撒いて逮捕された佐渡の航空自衛隊員を自衛隊法違反で起訴

１９７１（昭和46）年
４月８日　佐渡沖で新潟市の貨物船が転覆。乗組員１人死亡、４人が行方不明
　30日　新潟市沖合でリベリア船籍タンカー・ジュリアナ号が座礁し原油が流出

１９６６（昭和41）年
２月　全日空機羽田沖墜落事故。乗客全員１３３人死亡
５月　中国で文化大革命始まる
６月　ザ・ビートルズ来日

１９６７（昭和42）年
７月　欧州共同体（ＥＣ）発足
８月　公害対策基本法を公布・施行
12月　非核三原則を表明

１９６８（昭和43）年
４月　小笠原諸島返還協定調印
12月　東京・府中で３億円強奪事件

１９６９（昭和44）年
１月　東大安田講堂に機動隊突入
７月　米アポロ宇宙船飛行士が月面に人類初の一歩

１９７０（昭和45）年
３月　大阪で万国博覧会開幕

１９７１（昭和46）年
６月　沖縄返還協定調印
８月　金とドルの交換一時停止

１９７２（昭和47）年
7月7日　田中角栄内閣が発足

１９７４（昭和49）年
11月26日　田中角栄首相が金脈問題などで退陣表明

１９７６（昭和51）年
7月27日　東京地検特捜部が外国為替法違反などの疑いで田中前首相を逮捕

１９７７（昭和52）年
2月3日　豪雪で新潟県が災害対策本部を設置
5月21日　新潟市の女性誘拐殺人（１９６５年）の犯人が東京拘置所で自殺
11月15日　新潟市で横田めぐみさん＝失踪当時（13）＝が北朝鮮に拉致される

１９７８（昭和53）年
3月10日　新潟市古町の雑居ビルで火災。11人が焼死
5月18日　妙高高原町（現妙高市）の妙高山中腹で大地滑り。２人死亡、11人行方不明
10月17日　参議院大蔵委員会で大光相互銀行の不正融資が明らかに

１９７９（昭和54）年
3月20日　開通前の上越新幹線大清水トンネルで火災事故。16人が死亡
5月18日　大光相互銀行が７４０億円の簿外債務保証があることを発表
11月1日　新潟地検が大光相銀の駒形元社長ら旧経営陣３人を商法の特別背任罪で起訴

１９７２（昭和47）年
2月　冬季オリンピック札幌大会開催
　浅間山荘事件

１９７３（昭和48）年
10月　第４次中東戦争勃発。国内で石油ショック

１９７４（昭和49）年
10月　佐藤栄作元首相のノーベル平和賞決定

１９７５（昭和50）年
4月　北ベトナム軍がサイゴンへ無血入城

１９７６（昭和51）年
2月　米国上院でロッキード事件発覚

１９７７（昭和52）年
1月　ロッキード事件初公判
9月　プロ野球王貞治氏に初の国民栄誉賞
　日本赤軍が日航機をハイジャック

１９７８（昭和53）年
5月　成田・新東京国際空港が開港
8月　日中平和友好条約調印
10月　靖国神社がA級戦犯14人を合祀

１９７９（昭和54）年
3月　米スリーマイル島原発で炉心溶融事故
12月　ソ連軍がアフガニスタンに侵攻

１９８０（昭和55）年
9月　イラン・イラク戦争勃発

1981（昭和56）年
1月7日　守門村（現魚沼市）で大規模表層雪崩。8人が圧死
　18日　湯之谷村（現魚沼市）で大規模雪崩。老人ホームの6人が死亡
4月10日　反戦活動で起訴された佐渡の航空自衛隊員の無罪確定（小西裁判）
9月12日　新潟県が大光相銀の美術コレクション購入で合意。95点、約10億円

1982（昭和57）年
11月15日　上越新幹線新潟―大宮間が開業

1983（昭和58）年
10月12日　ロッキード事件で東京地裁が田中元首相に懲役4年の実刑判決

1984（昭和59）年
2月9日　中里村（現十日町市）の清津峡温泉で大雪崩が発生。5人が死亡
5月17日　大光相銀の不正融資事件で新潟地裁が元社長らに実刑判決

1985（昭和60）年
2月13日　柏崎刈羽原発1号機が発電開始
　15日　青海町（現糸魚川市）玉ノ木で土砂崩れ。10人が死亡
　27日　田中元首相が脳梗塞で倒れ入院

1986（昭和61）年
1月26日　能生町（現糸魚川市）柵口で表層雪崩。8世帯の13人が死亡
5月15日　新潟市のホテル浄化槽に切断された女性の遺体。滋賀県警が30日に夫を殺人の容疑で逮捕

1987（昭和62）年
5月9日　新潟県警が県議選の買収容疑で黒埼町（現新潟市西区）町議14人を逮捕

1988（昭和63）年
11月29日　亀田町（現新潟市江南区）の水田でハクチョウ12羽射殺される

1981（昭和56）年
2月　ローマ教皇が来日
3月　中国残留孤児が初の正式来日

1982（昭和57）年
6月　東北新幹線盛岡―大宮間が開業

1983（昭和58）年
9月　ソ連が大韓航空機を撃墜

1984（昭和59）年
3月　一連のグリコ・森永事件始まる
8月　日本専売公社民営化関連5法成立
12月　電電公社民営化3法成立

1985（昭和60）年
4月　NTT、JTが発足
8月　日本航空ジャンボ機墜落事故。死者520人
9月　5カ国蔵相会議においてプラザ合意

1986（昭和61）年
4月　男女雇用機会均等法施行
　ソ連チェルノブイリ原発で炉心溶融事故

1987（昭和62）年
4月　国鉄分割民営化。JRグループ7社が開業

1988（昭和63）年
3月　青函トンネル開業
6月　リクルート疑惑発覚

1989（昭和64・平成元）年
6月4日　新潟県知事選で前副知事の金子清氏が当選
10月14日　田中元首相が次期衆院選出馬断念を表明。90年引退
11月23日　汚職疑惑で県警の取り調べを受けていた関川村村長が自殺

1990（平成2）年
7月11日　西山町（現柏崎市）駒野忠夫町長が同町議会に公金の不正融資を報告
8月26日　町長辞職に伴う西山町長選で、戸次義一氏が保守系候補を下し当選
9月25日　新潟地検が西山町の江尻勇元町長ら4人を背任罪で起訴

1991（平成3）年
8月30日　コシヒカリ偽造米袋事件が発覚。長野県の米穀業者ら逮捕（9・10月）
9月28日　台風19号による強風で県内各地に被害

1992（平成4）年
3月25日　背任容疑で起訴された西山町の元町長ら被告4人に新潟地裁が実刑判決
9月1日　佐川急便グループから闇献金を受けた疑惑で金子清知事が辞表提出
10月25日　金子知事辞職に伴う知事選で平山征夫氏が当選

1993（平成5）年
1月11日　弁天橋病院（新潟市）経営介入事件で新潟県警が大阪の会社役員ら5人を業務上横領で逮捕
11月24日　新潟県警が上川村（現阿賀町）村長を収賄容疑で逮捕
12月26日　田中角栄元首相が死去

1994（平成6）年
3月25日　西山町の公金不正融資事件の債務不存在確認訴訟で町と第四銀行の和解成立
8月14日　桜井新衆院議員が「侵略戦争」否定発言で環境庁長官を辞任
10月25日　政治資金規正法違反で金子元知事らに新潟地裁が有罪判決

1989（昭和64・平成元）年
1月　昭和天皇崩御。新元号は平成
4月　消費税導入。税率3％
6月　中国で天安門事件。民主化デモを武力鎮圧

1990（平成2）年
12月　TBS記者・秋山豊寛氏が日本人初の宇宙飛行

1991（平成3年）
1月　湾岸戦争始まる
6月　雲仙普賢岳の火砕流で43人が犠牲に
12月　ソ連邦崩壊

1992（平成4）年
2月　佐川急便事件
6月　PKO協力法成立、国際緊急援助隊派遣法改正
9月　自衛隊がカンボジアPKO活動に参加

1993（平成5）年
5月　プロサッカー・Jリーグ発足
7月　北海道南西沖地震。死者・行方不明230人
8月　細川護煕連立非自民内閣が成立

1994（平成6）年
6月　長野県松本市で松本サリン事件
　　自社さ連立・村山富一内閣が成立
7月　北朝鮮の金日成主席が死去

1995（平成7）年

7月11日 「7・11豪雨」で上越地方を中心に被害。死者・行方不明者2人

9月6日 名立町（現上越市）山中でオウム真理教幹部に殺された坂本弁護士の遺体発見

12月11日 新潟水俣病被害者の会と昭和電工が解決協定書に調印

1996（平成8）年

3月10日 全酪連長岡工場が牛乳の表示を偽り出荷していたことが発覚

8月4日 巻町（現新潟市西蒲区）で原発建設の是非を問う住民投票。反対が61％

9月16日 長岡市長宅に強盗

12月6日 糸魚川市・長野県境の姫川上流で土石流。県人3人含む作業員14人が死亡

1997（平成9）年

1月2日 島根県沖でロシアのタンカー「ナホトカ号」沈没。流出した重油が県内に漂着

2月19日 吉田町（現燕市）町長と前助役を収賄容疑で逮捕

10月20日 大和町（現南魚沼市）町長を公職選挙法違反容疑で逮捕

1998（平成10）年

2月4日 「越乃寒梅」のラベルを貼った偽物販売で埼玉県の業者を逮捕

8月4日 下越・佐渡で記録的豪雨。1万3千棟に浸水被害

10日 新潟市の木材防腐処理会社で毒物混入。10人が吐き気やしびれ訴える

1999（平成11）年

2月11日 新潟市の毒物混入事件でポットにアジ化ナトリウムを混入した容疑者逮捕

10月1日 新潟中央銀行が金融再生委員会に破綻処理を申請

12月30日 上越市の貸金業者強盗殺人事件で元子役の元白根市議を逮捕

2000（平成12）年

1月28日 三条市で行方不明の女性を9年2カ月ぶりに柏崎市で保護（柏崎女性長期監禁事件）

1995（平成7）年

1月 世界貿易機関（WTO）が発足

阪神淡路大震災が発生

3月 東京で地下鉄サリン事件が発生

1996（平成8）年

4月 らい予防法を廃止

6月 住専処理法・金融関連5法成立

9月 国連総会で包括的核実験禁止条約（CTBT）採択

1997（平成9）年

4月 消費税を5％に引き上げ

6月 神戸の児童殺傷事件で中学3年男子逮捕

10月 長野新幹線が開業

11月 北海道拓殖銀行、山一証券が経営破綻

1998（平成10）年

2月 冬季オリンピック長野大会開幕

7月 和歌山で毒物カレー事件

10月 日本長期信用銀行が経営破綻

1999（平成11）年

1月 EUの単一通貨ユーロ使用開始

4月 改正男女雇用機会均等法施行

9月 JCO東海事業所で国内初の臨界事故

2000（平成12）年

4月 介護保険制度スタート

2月26日　新潟県警の小林幸二本部長が一連の不祥事の責任を取って引責辞職
3月3日　柏崎で女性監禁した男を新潟地検が略取、逮捕監禁致傷の罪で起訴
19日　交通違反もみ消しの警察官を公電磁的記録不正作出などの容疑で逮捕
6月18日　入広瀬村（現魚沼市）の浅草岳で雪崩。捜索隊員が4人死亡、5人重軽傷

2001（平成13）年

2月7日　新潟中央銀行の大森龍太郎元頭取ら旧経営陣4人を特別背任容疑で逮捕
5月11日　新潟中央銀行が営業終了

2002（平成14）年

1月22日　新潟地裁が柏崎女性監禁事件の男に懲役14年の実刑判決
4月2日　新潟市の少年が集団暴行を受け死亡
8月9日　田中真紀子衆院議員が公設秘書給与流用疑惑の責任を取って議員辞職
9月17日　小泉純一郎首相が北朝鮮訪問。拉致被害者5人の生存を確認
10月15日　北朝鮮拉致被害者の蓮池薫・祐木子さん、曽我ひとみさんらが帰国

2003（平成15）年

3月29日　東京電力のトラブル隠しで柏崎刈羽原発全7基が停止
11月10日　トキの「キン」が死に日本産トキが絶滅
12月18日　東北電力が巻原発計画を断念。国の基本計画に組み込まれた原発で初

2004（平成16）年

5月22日　北朝鮮拉致被害者の蓮池さん一家帰国
7月13日　三条市を中心とする「7・13水害」発生。死者15人
18日　北朝鮮拉致被害者の曽我さん一家帰国
10月23日　中越地震発生。死者68人、被災住宅12万棟以上の甚大な被害
11月　新潟市の下水道工事を巡る官製談合で新潟地検が市職員らを競争入札妨害罪で起訴

2005（平成17）年

12月22日　荒天の影響で新潟市を中心に最大約65万戸の大規模停電

2001（平成13）年

6月　大阪・池田小児童殺傷事件。8人死亡
9月　米中枢同時テロ発生
10月　アフガニスタン紛争が勃発

2002（平成14）年

8月　住民基本台帳ネットワークシステムが稼働

2003（平成15）年

3月　イラク戦争始まる
6月　有事関連法が国会で成立
11月　駐イラク日本人外交官2人が銃撃で死亡
12月　自衛隊イラク派遣を開始

2004（平成16）年

6月　年金改革関連法成立
10月　米大リーグでイチローが最多安打記録262
12月　インドネシア・スマトラ島沖で地震・津波。死者・行方不明者約23万人

2005（平成17）年

3月　愛知万博開幕

25日 山形県庄内町の羽越本線で特急いなほが脱線転覆。県人含む5人死亡

2006（平成18）年

1月7日 平成18年豪雪。20年ぶりに災害救助法適用。長野県境の秋山郷が孤立

7月23日 王子製紙が北越製紙に敵対的な株式公開買い付け（TOB）方針を公表

10月7日 新潟市発注工事を巡る官製談合で最高裁が上告棄却。市職員4人の有罪確定

2007（平成19）年

6月26日 新潟市出身の大相撲時津風部屋序ノ口力士がけいこ場で暴行死

7月16日 中越沖地震。柏崎などで震度6強。死者15人。柏崎刈羽原発が緊急停止

2008（平成20）年

2月7日 新潟市出身の力士暴行死事件で愛知県警が元時津風親方ら4人を逮捕

9月16日 長岡市のでんぷん製造業者が事故米でつくった製品の不正販売が発覚

2009（平成21）年

3月10日 宮中ダム（十日町市）違法取水で国交省がJR東日本の水利権取り消し

2010（平成22）年

3月 ロシア人の覚せい剤密輸事件めぐり新潟地裁で県内初の裁判員裁判

2011（平成23）年

3月3日 新潟水俣病第4次訴訟の和解が新潟地裁で成立

12日 新潟・長野県境地震発生。十日町市、津南町で震度6弱

7月29日 中下越で記録的豪雨。死者・行方不明者5人

2012（平成24）年

3月7日 上越市板倉区で大規模地滑り。11棟が全壊

5月24日 南魚沼市の八箇峠トンネル工事現場で爆発事故。4人が死亡

4月 JR福知山線脱線事故。死者107人

10月 郵政民営化法成立

2006（平成18）年

9月 秋篠宮妃が悠仁親王を出産

10月 北朝鮮が初の地下核実験

12月 改正教育基本法が成立

2007（平成19）年

1月 防衛省が発足

8月 サブプライムローン問題から世界金融不安拡大

2008（平成20）年

1月 中国製冷凍ギョーザから農薬検出

6月 東京・秋葉原で20代男がナイフで7人殺害

9月 米国発リーマンショック

2009（平成21）年

5月 裁判員裁判制度導入

8月 総選挙で自民大敗。民主政権成立

2010（平成22）年

9月 中国GDP、日本抜き世界2位に

2011（平成23）年

3月 東日本大震災。福島第1原発で炉心溶融事故

7月 地上デジタル放送がスタート

12月 北朝鮮の金正日総書記が急死

2012（平成24）年

5月 東京スカイツリーが開業

12月 総選挙で民主大敗。自民政権に

2013（平成25）年
9月9日 トルコで新潟大学の女子学生が現地男性に刺される。1人死亡、1人重傷

2014（平成26）年
5月4日 上越市柿崎区の上下浜で子ども3人を含む長野県の5人が水死

2015（平成27）年
3月14日 北陸新幹線が開業

2016（平成28）年
8月30日 泉田裕彦知事が次期知事選への不出馬を突然表明
10月16日 新潟県知事選で米山隆一氏が当選。本県初の野党系知事誕生
12月22日 糸魚川大火。147棟焼く

2017（平成29）年
4月 新潟日報社が創業140年
5日 第四銀行と北越銀行が経営統合で基本合意

2018（平成30）年
4月27日 米山知事が女性問題を理由に辞職。在任期間1年半は戦後民選知事で最短
5月7日 新潟市西区で小学2年女児が殺害される
6月10日 米山知事辞職に伴う知事選で花角英世氏が当選

2019（平成31・令和元）年
2月 長岡市発注の下水道工事を巡る官製談合事件で、新潟地検が市幹部、県議秘書らを官製談合防止法違反などの罪で起訴
4月5日 塚田一郎参院議員が道路整備を巡る「忖度」発言で国土交通副大臣を辞任

2013（平成25）年
9月 2020年東京オリンピック開催決定
12月 特定秘密保護法が成立

2014（平成26）年
4月 消費税を8％に引き上げ
7月 集団的自衛権の行使容認を閣議決定

2015（平成27）年
7月 米・キューバ国交回復

2016（平成28）年
3月 北海道新幹線が開業
4月 熊本地震発生
7月 相模原市の障害者施設で19人刺殺

2017（平成29）年
6月 「共謀罪」法が成立・施行
10月 神奈川で9人の切断遺体。27歳男を逮捕

2018（平成30）年
6月 史上初の米朝首脳会談開かれる
7月 西日本豪雨で死者220人以上
　オウム真理教の松本教祖ら13人の死刑執行

2019（平成31・令和元）年
5月 新元号令和がスタート
　神奈川で児童ら20人刺され2人死亡
8月 京都アニメ放火で36人死亡

【主な参考文献】

『新潟日報』、『新潟県史』、『新潟市史』、『新潟県の昭和史』（新潟日報事業社）、『新潟日報二十五年史』、『新潟日報五十年史』、『第三の創業へ　新潟日報創刊60周年記念』、『出航。メディアシップ』（以上、新潟日報社）、『詳説日本史図録』『新潟県の歴史』（以上、山川出版社）

■新潟日報140年記念誌
・事件編 編集委員

高橋　正秀（顧問）
服部　誠司（編集委員長）
相田　　晃
岩本　　潔
大塚清一郎
後藤　貴宏
小原　広紀
齋藤　祐介
諏訪　敬明
関根　　浩
高橋　直子
鶴間　　尚
永田　幸男
夏井　陽三
原　　　崇
三島　　亮
三浦　穂積
渡辺英美子
八幡　　亨

■執筆者

小原　広紀（第１章）
大塚清一郎（第２章）
岩本　　潔（第３章）
諏訪　敬明（第４章）
相田　　晃（第５章）
三島　　亮（第５章）
後藤　貴宏（第６章）
三浦　穂積（第６章）
夏井　陽三（第７章）
齋藤　祐介（第８章）
高橋　直子（第９章）
原　　　崇（第10章）

新潟日報140年　川を上れ 海を渡れ　事件編

2019（令和元）年 11 月 1 日　初版第 1 刷発行
2019（令和元）年 12 月 24 日　初版第 2 刷発行

編　者　新　潟　日　報　社
発行者　渡　辺　英美子
発行所　新潟日報事業社
〒950-8546
新潟市中央区万代3丁目1番1号
メディアシップ14階
TEL　025 - 383 - 8020
FAX　025 - 383 - 8028
http://www.nnj-net.co.jp
印刷・製本　第　一　印　刷　所

ISBN978-4-86132-730-8